7日間世界一周

五大陸弾丸旅行

日本旅行文学会

目次

第1章 準備編

第2章 実踏編

第１章
準備編

世界一周

旅をすると、思想が表れる。

本書は、おとぎ話のつもりで書かれたのではない。

明治維新も150年を過ぎた。日本人にとっては、だいたい150年ほど前に近世が終わって近代が始まり、世の中がだいたい今のようになったと言える。いや、今とは随分と違うのだが、サムライから文民へと支配者が変わったのがそのあたり。ちなみにマルクスの資本論が書かれてからも150年。この明治維新と戦争、高度成長とデジタル化、その度に人々のメンタリティは劇的な変化にさらされ、世の中は次第につまらなくなっていく。

日本だと明治4年、まだちょんまげを結い続けている人もいて、ちょんまげを切ったもののザンギリのままの頭の人もいる頃に、フランスではジュール・ヴェルヌによって『八十日間世界一周』という小説が書かれた。

その頃に、世界初の旅行代理店であるトーマス・クック社が世界一周旅行を売り出している。『八十日間世界一周』は、いわゆるタイアップ企画ではない。つまり、商品を売るために書かれた本ではない。ヴェルヌはその世界一周ツアー広告に刺激を受けて書

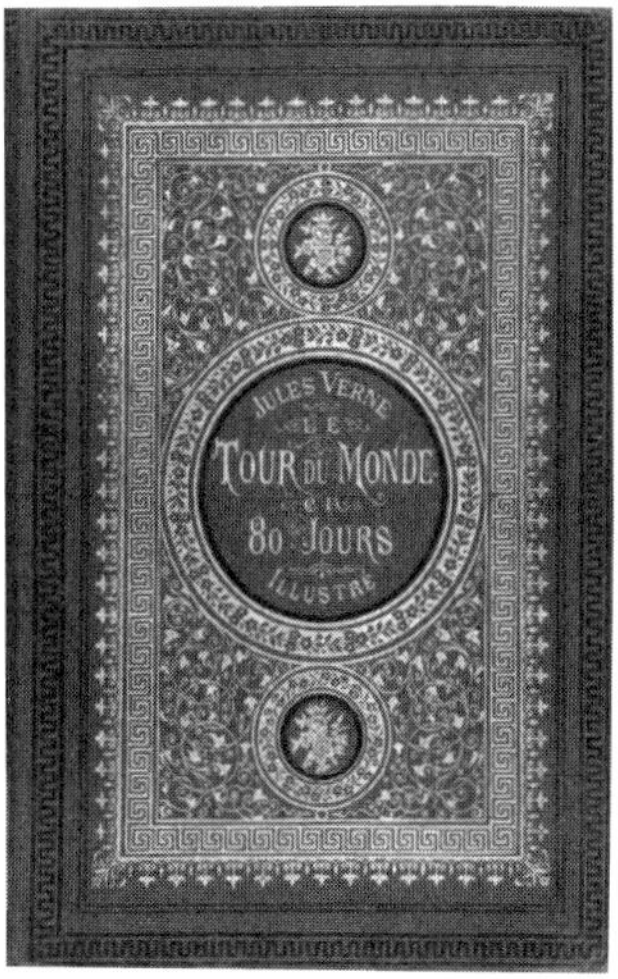

『八十日間世界一周』

いたという説がある一方で、まったく世界一周ツアーのことを知らずにこの冒険譚を書いたという説もある。この数年前まで鎖国していた日本では、まだ地球という概念がなかったし、国《くに》といえば藩、ほんものの外国といえば向こうから来るもので、こちらから行くなどという観念自体が、一部の奇特な層を除いてはなかった時代である。

フィリアス・フォッグを主人公とする『八十日間世界一周』のルートと移動手段は以下の通り。

ロンドン→スエズ→ボンベイ→カルカッタ→香港→横浜→サンフランシスコ→ニューヨーク→ロンドン

移動手段は、大陸間は蒸気船。陸上は鉄道などを使う。

スエズは運河完成後にイギリスの覇権下に置かれたし、インドも香港もイギリス植民地、米国は18世紀後半にイギリスから独立しているが、今に至るまでイギリス自身がアメリカン・ファミリーの一員なのであるからして、これも子孫の地といえる。つまり、日本以外はイギリスの領地のような土地を巡り、80日間でロンドンに舞い戻るという冒険譚であった。発端は、紳士クラブでの賭け。執事に身の回りの世話をさせながらの、旅する貴族の冒険物語である。

ちなみにトーマス・クックの世界一周団体旅行のルートは以下の通りである。

リバプール→ニューヨーク→サンフランシスコ→日本→中国→シンガポール→インド→スエズ→イギリス

なぜかこちらも日本が入ってくるのである。もちろん飛行機のない時代の世界一周であるから、アジアの端っこの日本には立ち寄らざるを得ないのだった。

『八十日間世界一周』は、旅をモチーフとした小説の古典中の古典。岩波文庫ほかに収載され、今もって広く読み継がれている。同じく19世紀の末には、ネリー・ブライとエリザベス・ビズランドの20代のふたりのアメリカ女性記者が80日間世界一周に挑み、この小説の旅程を身をもって証明してみせる。これは『ヴェルヌの「八十日間世界一周」に挑む―4万5千キロを競ったふたりの女性記者』（マシュー・グッドマン著／２０１３年／柏書房）というルポにもなった。

八十日間世界一周の反響はこんにちでも続いており、飛行機に乗らずに世界一周するとか、同作と同じルートを辿るとかの手法をとる世界一周旅行者は枚挙にいとまがない。

もうすぐ、八十日間世界一周から１５０年になる。１９０３年にはライト兄弟が飛行機を作り出し、そこから世界一周は時間的には極限まで短縮できるようになった。日本の旅行作家の草分けである兼高かおる（１９２８～２０１９）は、スカンジナビア航空のプロペラ機による73時間9分35秒という記録を１９５８年に打ち立てている。つまり、３日と９分である。

とはいえ、究極に短縮して３日間や４日間にすればいいというものではない。短くしたところで、短くしたのはパイロットなのであるから。しかし、不思議なことに米空軍第43爆撃飛行隊のギャラガー大尉がB‐50A爆撃機を使用して１９４９年に行なった無着陸世界一周飛行の記録は、94時間１分というのである。

そこで、世界一周弾丸旅行の先輩たちは、10日ぐらいでどうか、と言っている。そこで僕は、7日間ぐらいかなと言ってみるのである。その理由はさまざまにあって、もろもろある。何しろ7日間といえば1週間で、ちょうど良い。

そのようにして、7日間の予定で世界一周旅行に出かけたと思ってみてほしい。

くりかえすが、本書はおとぎ話ではない。

世界一周の三要件

ここで、7日間世界一周の三要件について見ておこう。つまり、何をもって7日間世界一周というのか、という条件である。

要件とはいえ、世界一周協会という団体があって認定してもらえるということもないし、そもそも世界一周とは何かというような定義はない。だが、最短の期間で世界一周しようとすれば、短かさそれ自体が自己目的化していきかねず、5日だ4日だ、ついに3日でとなっていく。そういうの、意味がないでしょう。前述の兼高かおる氏は3日と数分で未だ破られていない記録らしいが、飛んだのはパイロットなのであって、ジェット・エンジンの性能が向上するごとに短縮していったとしても、その飛行機には同乗していただけということになる。

なので、便宜的にワクを設けてみるのである。

地球をぐるっと赤道の外周を辿れば地球一周となり、他方、南極の周り、南アフリカからニュージーランドの南端、アルゼンチンの先、あたりをぐるっと短絡すると狭義の地球一周と言えなくもない。

だが、それは物理的な地球一周と言えても世界一周ではない。

では、世界一周とは何か。

世界というのは、すべての国という意味である。仏教のサンスクリット語では「lokadhātu」が世界に相当し、世は過去・現在・未来の三世、界は東西南北上下をさすという。何だかよくわからない。世界一周とは、とにかくあらゆる国と場所を巡らないとダメそうだ。

そこから、だいたい五大陸を巡れば、世界一周と言えるのではないかという結論を導き出すのは、短絡というか大雑把というか。五大陸とはアジア、アフリカ、ヨーロッパ、南北アメリカ、オーストラリアをいうのであるが、そうなると北米と南米を分けて六大陸というそうである。このうちの五大陸を巡るというのではどうか、というのである。最初からオセアニアを除外するのかというと、そういうわけではないが、どうしようかな、行かないだろうな、オーストラリア。その根拠は、特にない。

次に、五大陸は超弾丸で巡ってもいいのかという問題がある。飛行機から飛行機に飛び乗って、空港から空港にひとっ飛び、３日間で五空港制覇というのを世界一周と呼べるのか。

それはもちろん呼び得るし、７日間だって短すぎる、それでも旅なのか、いや旅じゃない！という人は大勢いよう。だが、３日間までは短縮しない。７日間かける。そこらへんで手を打とうと思う。その根拠は、特にない。７日間といえば１週間で、多忙な人でも１週間程度は仕事は休めるし、休もうという提案でもある。

単純に考えても２０１９年の大型連休は４月27日（土曜日）から５月６日（日曜／こどもの日の振替休日）までの10日間。これは、改元を挟んだ極めて特異な事情でこうなったのであり、これほどの連続休暇は、今後は当たり前にはやってこない見通しである。

10連休は望むべくもない。ならば、7日間ではどうか。

大型連休中に日本を脱出し舞い戻る航空券の料金は、もちろん高騰する。だが、大型連休の設定は日本だけであり、第三国から第三国への便にまで影響が及ぶとまではいえない。何ヶ月も前にチケットの手配が可能なのであればトライする余地がないとはいえない。

そうすると、現地にだいたい半日滞在するのでどうだろう。半日というのは12時間ともいえるし、もっと短いともいえる。1日というと24時間、あるいは朝起きてから寝るまでのどちらかということになるだろう。半日は12時間かあるいはもっと短い、と定義するか。ある仕事に半日かかったというとき、それは6時間かかったということを意味するかもしれない。まあ、そんなところである。

五大陸、そして半日は滞在と、次第に世界一周弾丸旅行の骨格が組み上がってきたではないか。

これに加えて、現地での見る・食べるを加えて三要件と呼ぶことにしたいと思う。見るというのは文字通り、現地の何かを見ようということであり、特に観光地でなくても良いように思う。街に馴染んで街並みを見るというのでもいいし、レッキとした名所旧跡を見てもいい。食べるというのは、旅などしなくても人は誰でもごはんを食べるのだが、現地は食事がまずいからと何でもかんでも中華に逃れるのはやめて、せめて旅先では現地のものを食べようということである。

さあ、これで7日間世界一周・五大陸弾丸旅行の枠組みが固まった。繰り返すが、根拠はない。誰が言っているのかというと、僕が言っているに過ぎない。

もし、7日間世界一周を実行する人が出るのだとしたら、この定義を完成してくれると嬉しいのだが。

プランニング編

1―世界一周チケット

航空会社が、世界一周チケットという便利なものを用意している。とはいえ、一社独自のルートで世界中を周遊する航空会社はあるようでいて、まだない。航空各社が加盟するアライアンス（いわばマイレージを都合しあうグループ）を結んでおり、そのアライアンス名で世界一周チケットが売り出されているのである。

このチケットの利点は、

①アライアンス各社の便によるひと続きのチケットの統一的な接続なので、遅延や欠航を気にする必要がない。遅延や欠航があればフォローや保障がある。

②たくさんあり過ぎるルートを選ぶ必要がなく、そのアライアンス各社が飛んでいる都市を繋ぐだけなのでラク。

③世界中に就航している航空会社であるからして、大手であり、信頼できる、などがあげられる。

一方で、デメリットとしては、

①チケット代はおおむね高い。

②そのアライアンスが飛んでいる限られた都市を繋ぐので、ルートはあらかじめほぼ決まってしまい、プランニングの面白みがない。

③アライアンスによっては、最低旅行日数があらかじめ決められていて、何日以上かけなければならないという規定がある、といったところだろうか。

③が適用になる航空会社の場合には、7日間世界一周というのはほぼ不可能になる。

ここで、航空会社のグループを一通りおさらいし、各アライアンスで用意されている世界一周チケットのエコノミークラスの最低料金の目安を見てみよう。

●スターアライアンス（2万9千マイル以内32万円程度から）

アドリア航空、エーゲ航空、エア・カナダ、中国国際航空、エアインディア、ニュージーランド航空、ANA、アシアナ航空、オーストリア航空、アビアンカ航空、アビアンカ・ブラジル航空、ブリュッセル航空、コパ航空、クロアチア航空、エジプト航空、エチオピア航空、エバー航空、LOTポーランド航空、ルフトハンザドイツ航空、スカンジナビア航空、シンセン航空、シンガポール航空、南アフリカ航空、スイスインターナショナルエアラインズ、TAPポルトガル航空、タイ国際航空、ターキッシュエアラインズ、ユナイテッド航空

●ワンワールド・エクスプローラー（五大陸周遊で43万円程度から）

エア・ベルリン、アメリカン航空、ブリティッシュ・エアウェイズ、キャセイパシフィック航空、フィン・エア、イベリア航空、日本航空、LATAM、マレーシア航空、カンタス航空、カタール航空、ロイヤルヨルダン航空、S7エアラインズ、スリラ

ンカ航空

●スカイチーム（2万6千マイル以内36万円程度から）

大韓航空、中国東方航空、中国南方航空、厦門航空、チャイナエアライン、ベトナム航空、デルタ航空、アエロメヒコ、アルゼンチン航空、エールフランス、アリタリア航空、エア・ヨーロッパ、アエロフロート・ロシア航空、タロム航空、KLMオランダ航空、チェコ航空、サウディア、ミドル・イースト航空、ケニア航空

●グローバル・エクスプローラー

ワンワールド・アライアンスにエアリンガス、アラスカ航空およびその系列航空会社のホライズン航空、バンコク・エアウェイズ、フィジー・エアウェイズ、ジェットスター、ジェットスター・アジア、ジェットスター・ジャパン、ジェットスター・

パシフィック、メリディアナ、ウエスト・ジェット、ならびにエア・タヒチ・ヌイが加わる

このうち、スターアライアンスとスカイチームは世界一周の最低旅行日数を10日間と規定している。ワンワールドにはその規定がない。つまり、前者のふたつのグループでは7日間世界一周はできない。日本航空も加盟するワンワールドならできる、ということになる。

また、有効期間は各グループとも1年というものが多い。1年ぐらいをかけて十数都市を巡るのが本来の世界一周であるというわけだ。

それはそれでいい。時間とお金があれば、それはそれで実行してみたいジャンルではある。旅に貴賤なし。いや、あるか。

2 ― 片道反復五大陸横断

今回7日間世界一周を実行するにあたって、僕は航空会社グループの出来合いの世界一周チケットを使わなかった。自分勝手に自由に旅程を組んだのである。お仕着せの旅程はイヤだったし、値段を安く抑えたいという希望もあった。お金がないのだ。そもそも、旅のプランニングほど楽しい時間を放棄して策定された旅程に、どれほどの醍醐味があるのだろうか。そういったことを自らに問うた結果だと言っておこう。

さて、五大陸の中から行きたい都市をピックアップして繋ぐ。これが世界一周、しかも五大陸弾丸旅行のあるべき姿だろう。行きたい国、行きたい都市ってどこだろう。行ったことのない場所を選ぶか、行ったことがあって勝手知ったる場所を選ぶか。それとも安く行ける場所を選ぶのだろうか。

プランニングに際して僕が使った手法は、以下の通りだ。

まず、航空券検索サイト（例えばスカイスキャナーなど）で出発地を入力する。すると渡航地のリストがヒットする。例えば東京と入力すると、世界中の渡航先がヒットするので、最安値のところから順に検討していくのである。往復が基本の航空券だが、ここでは片道で検索する。訪れた都市から、次々とその先の都市を目指して、最終的に東京に舞い戻るのであって、これらは全て片道チケットの旅なのである。往復を基本にして発売されたチケットはそれなりに安く作られている。セットされた往復チケットから往復を解除すると、片道はその半額かというと全然違う。ほとんど往復料金満額に匹敵するほどのねだん、正規運賃に迫るのではないかと思える価格だ。オーダーメードの旅は高くつく。

今回はアジア→ヨーロッパ→アフリカ→南米→北米というルートを想定しているので、アジア諸都市からまずは最安値を検討していく。ＬＣＣが各国に就航しており、これは多様なルートとねだんを縦横に検討することになる。

例えば、中国のＬＣＣである春秋航空の就航している中国の武漢とか重慶といった都市がヒットして、その都市に飛ぶだけならかなり安いとしよう、しかし世界一周を飛ぶ予定であることを忘れてはならない。つまり、武漢や重慶から次のヨーロッパにも安く飛ばなければならないのである。武漢に安く飛べても、武漢からヨーロッパへのルートが高過ぎるなら、それはＮＧ。その次の都市へも安く飛べる場所、そこを繋ぐのが要諦である。

これには、ネットでの検索能力とでもいうべきスキルが求められる。乗り継ぎなしに直行で飛べて安い、というような都市を合理的に繋ぎながら、自分自身の旅の欲求も満足させなければならない。

行きたい場所を繋ぐことを必須条件にして、値段と時間に頓着せずにいると、航空券代は世界一周チケットより高くつくハメになりかねない。また、そこをなんとか安くあげる努力をしていくと、今度は時間がかかり過ぎ、７日間をオーバーしてしまいかねない。諸事情諸条件を勘案しながら、五大陸五都市を飛ぶ旅程を組む。

これが意外とたいへんなのである。そして、これが実に楽しいのだ。

航空券検索サイトで調べていくと、意外な街から意外な街への破格の安さのチケットを発見することがある。南ヨーロッパからモロッコあたりへは、なんと千円程度で繋ぐＬＣＣがある。「旧宗主国」スペインからは南米諸都市に飛んでいて、そのチケットは意外に高かったり、まずまず安かったり。米国東海岸から日本へは、直行便より西海岸や中西部へ一旦国内線で出て、そこから飛んだ方が安かったり。

そう、金にあかせて直行便を駆使し、五大陸を繋げば5日間ぐらいで世界一周できそうだが、もちろんそうしない。7日間は最低単位。これは決まりなのだ。今回の旅程でも、不自然な経由地がいくつもあるが、それは主にねだんを勘案した結果である。ねだんを重視し過ぎると時間を、時間を重視し過ぎるとねだんが、オーバーする仕組みだ。そこは熟慮につぐ熟慮を繰り返す。

東京から飛ぶアジアの街を検索し、行き先に目処がついたら、今度は行き先を起点にヨーロッパの街を検索する。ヨーロッパを起点にアフリカ、アフリカを起点に南米、南米を起点に北米、そしてついに北米を起点に東京への便を検索し終わったら、世界一周のルート開通である。

3ープランニング応用編

航空券検索サイトで「東京」と入力する。すると各都市への格安チケットがヒットする。

世界一周なのだから、西回りの場合はまずはアジアを目指すのがセオリーだ。検索結果のうち、自分の行きたいアジアの街を選ぶ。

だが、アジアへ飛ぶとしても、ヨーロッパを目指す途中に寄ればいいとも言える。ヒットしたヨーロッパの都市へのチケット。これはアジアへまず飛ぶチケットを購入し、そのアジアの街からヨーロッパへのチケットを買うよりも安い。1+1=2ではなく、1+1=1・5というようなチケットである。つまり、アジア経由でヨーロッパ諸都市を目指すルートを選ぶのである。これはいくつものルートがある。アジアのハブであるバンコクや香港を経由してヨーロッパに飛ぶ便は多い。

ここで忘れてならないのは、現地で半日過ごすという原則である。原則と言ったって、僕が言っているだけなのだが、この原則をないがしろにすれば、空港に待機して次々と五大陸を乗り継ぐ3日間世界一周も可能になるが、それはイヤだ。7日間は決まりなのだ。

そこで、例えばヨーロッパを目指すルートでアジアを経由する便を探す。経由地で12時間以上待機する便がある。ヨーロッパを目指す場合、経由地で半日も過ごすなんてまっぴらだろうが、この度の旅は世界一周なのだ。

すると、経由地で2、3時間の待機ですむ便に混じって、12時間程度待機する過酷な便がときどきある。それをセレクトする。安いからと言って、目的地と経由地、そこは本当に行きたい街なのか、ということを自問しながら。

4 ― 航空券購入

サイトでヒットした国と都市を検討し、ねだんにも納得したら、まずはメモ。東京を何時に発ち、行き先に何時に着くのか、そしてねだんをメモ。

東京↓アジア↓ヨーロッパ↓アフリカ↓南米↓北米↓東京。これを発着の日付でも確認する。いうまでもなく、地球には日付変更線という目に見えない線が走っており、のんびりしているとプラス1でルート破綻という事態もある。あるいは夜行飛行機ばかりで急ぎすぎて6日間世界一周というルートもありうるだろうが、7日間ぐらいはかけていいのではないだろうか。7日間は決まりなのだ。僕が言っているだけなのだが。

ルートが開通したら、自分さえ良ければ今度はメモしたプランに沿って、航空券をいちいち購入していく。これは緊張を要する。

検索して存在を確認したチケットでも、次の瞬間からチケットは売り切れていく宿命にある。あるいは、LCCでは分単位で少しずつ少しずつ値上がっていく運命にある。検索でヒットしたルートの賞味期限が何週間も残っているとは考えないことだ。世界一周に出発すると決意できているのであれば、航空券検索とその購入は連続して行われるべきだろう。

したがって、このプランニングは世界一周の２、３ヶ月前に行う。直前ではチケットは売り切れ、ないし残席わずかで高値になっている可能性が高いし、あまりに時間を置き過ぎても、チケットの発売前である可能性もある。２、３ヶ月前に旅行の時期を確定し、旅程を立案し、決済もする。

そんな頓狂な人はいないと思うが、検索した端から購入していっても、ルートのプランニングは開通するまで気を抜けないし、思わぬ破綻が潜んでいたりする。破綻してキャンセルしてまた購入などというのは気が遠くなる作業だ。まずは机上の旅程の上だけでも開通させ、次に購入というプロセスに進むのだ。なぜメモかというと、値段と時間はぬかりないが、ビザに難ありの国だったりすることがある。

それと、旅程のプランニングは自家中毒を引き起こすほどの集中力を要する。検索したら1日ぐらいは自分をクール・ダウンして、翌日に購入するぐらいの方がいいだろう。

航空券検索サイトは、そのまま購入サイトにリンクしている。つまり、検索結果から旅行代理店のサイトへと飛ぶのである。そこで、そのチケットが実際に残っているのか、ねだんはその通りなのかということを確かめる。日本の航空券検索サイトからは日本の旅行代理店からリンクしているのであまり心配ない。もしもの場合には電話したり、場合によっては訪ねて行けるだろう。海外の旅行代理店のサイトで購入ということになると、ある程度の海外通販上級者でないとハードルが高い。また、海外のLCCのサイトがリンクされていて直接購入することになる場合もある。

チケットは残席あり、ということになり、購入しようとすると、何かとオプションだらけのサイトもある。基本料金では身柄ひとつしか搭乗できず、荷物一個につき追加料金とか、希望通りに座席を取ろうとすると追加料金などというサイトもある。ＬＣＣはもちろん機内食などついていない。また、ＬＣＣで、チケット購入には英語サイトでの会員登録が必要だったりということもある。そうなると、アカウントを解除しないと延々とメールが届くなどの煩雑さが発生する。

Ｗｅｂでの購入であるから、ほぼ１００パーセントがクレジット決済となる。しかも全旅程合わせると20～30万円の買い物となる。間違ったではすまないが、間違ったらキャンセルする。キャンセルできるのか、いつまでに手続きすればキャンセル料がいくらになるかといったキャンセル・ポリシーは確認しておきたいが、英語だったりしてなかなか万全にはいかない。

これらをクリアして、全ルートのチケットを購入できたら、あとは出発当日を待つ。Ｗｅｂで購入するチケットは多くの場合、ｅチケット（電子航空券）であり、メールで送られてくる。スマートフォンに保存したりしておく。だが、スマートフォンはバッテリー切れもありうる。プリントアウトは必須である。

５―旅程プランニング〜ホテル編

さて、旅程が開通し、チケットを購入したら、現地で泊まる（場合は）宿をプランニングする。これは当然のことながら、ルート策定のあとになる。

ホテル検索サイトもいくつもある。

五大陸をホッピングしながら、そのすべてを宿で眠っていたら、断じて７日間世界一周は無理だ。したがって、機中泊というケースも多くなるのが７日間世界一周である。機中泊ではよほどの人でないと熟睡は無理だ。これは旅慣れているかどうかではなく、体質の問題である。

宿泊先のプランニング。これにはホテル検索サイト（例・agoda、エクスペディア、スカイスキャナー等）を利用する。現地の地名を入力し、立地やねだんを勘案して決める。行ったこともない街であれば、ガイドブックやWebの現地情報でだいたいの場所を決めて、検索する。治安情報、立地、ねだん、空港からのアクセス、現地着の時間、現地発の時間、それらを勘案する。複数のサイトにアクセスしながら、同クラスの宿でも少しでも安い料金のサイトで購入するなどのワザを使うことも可能だ。

格安航空券を使っているのに高級ホテルに泊まるという方法もないではないが、だいたい旅のトーンは一定させた方が良いように思う。一方で、ユースホステルばかり利用していても、機内で眠れなかった分は回復できないようにも思うので、体力と予算に応じた宿のセレクトを。

ホテル検索サイトで宿をセレクトしたら、これもＷｅｂから予約する。途上国の安宿などだと、Ｗｅｂで予約しても料金は宿に直接支払う仕組みだったりする。また、クレジットカード決済なのに諸税は現地払いだったりする。さらに、その諸税が存在するのかフロントマンの口から出まかせなのか不明というケースもある。

予約が完了したら、サイトからバウチャーが、これもメールで送られてくるので、スマートフォンなどに保存するが、前述の通りスマホはバッテリー切れの危険がある。プリントアウトする。キャンセル・ポリシーは、可能な限り理解した方が良いのは言うまでもない。

実践編

世界を一周する場合、五大陸を一周するのが一般的だが、必ずしも五大陸が全世界を意味しないのは言うまでもない。五大陸とは地理的、地球的な全世界を指す。

そこで、地理的、地球的な全世界観からすると、以下の六大陸のうち五つを巡るということになる。

1・アジア

2・ヨーロッパ

3・アフリカ

4・ラテンアメリカ
5・北アメリカ
6・オセアニア

一方で、それぞれの世界観、地球観、地理観から世界一周を設定してみるということも可能だ。

1・世界珈琲紀行
2・世界の書店へ
3・旅とスープ
4・酒旅
5・文学紀行
6・中華街世界一周

7・アメリカン・ファミリー一周（米英加豪・ニュージーランド・アイルランド等）

8・フランス圏世界一周（仏・コートジボアール・カナダケベック州・マルチニーク島・フレンチポリネシア等）

9・大航海時代世界一周（スペイン・ポルトガル・アフリカ・ラテンアメリカ・カリブ等）

10・日本の攻め跡世界一周（東アジア・東南アジア・ウラジオストック・オーストラリア・ハワイ等）

以上が旅の切り口というようなものだとすると、世界一周とそのバリエーションとして、「だけ旅」というのがある。

1・ＬＣＣだけ使う

2・船だけ

3・秘境だけ

4・陸路だけ

5・島だけ

などなどである。

旅に出る動機は、人それぞれ。世界のどこに心を動かされるかによって、立ち寄る先もまた人それぞれということになる。言うまでもなく、7日間世界一周というのは、通常の世界一周のプロセスをかなり凝縮して経験することになる。

それを得たいかどうかもまた、人それぞれである。

かばんの中味

身体ひとつで前へ前へと進む五大陸弾丸旅行では、大型スーツケースをゴロゴロと引っ張っていくことは不可能である。行き先のうちいくつかでは、空港から市街へ出てまた空港に戻って次の大陸に向かう、などということもありうる。その場合は、空港にスーツケースを預けるということもできないと心得よう。

また、ＬＣＣ（格安航空会社）だけで世界一周することも不可能ではない。だが、行き先とルートが複雑に絡み合う五大陸弾丸旅行では、多くの場合、ＬＣＣと一般航空会社を入れ替わり立ち替わり使い分けながら進むことになる。

ＬＣＣの場合は、機内預けの荷物が極端に制限されることが多い。場合によってはゼロでなければ追加料金を徴収される場合もある。ゼロとは何か、ポシェット程度のショルダーバッグ以外は機内に持ち込めないということである。ゼロの次は一定のサイズのバッグ1個と規定している航空会社もある。一方で、手持ちのほかに機内預けが可能な航空会社もある。

とはいえ、おわかりの通り、旅程が長くなる場合は一番厳しい条件に合わせるほかない。せっかく安いチケットを取ったのに、便によって次々と追加料金がかかるという本末転倒を避けるためだ。したがって、ごくごく軽装であることが望ましい。それを避けるには、すべてのルートでLCC以外の一般航空会社を使うしかない。

軽装に徹すべきという理由はもうひとつある。機内預けにした荷物は、空港で出てくるのを待つことになるが、この時間が無駄なのだ。10分ですむか30分かかるか現地での荷物受け取り所要時間は千差万別だが、荷物を預けなければここを素通りでき、いち早く市街に出て行動できる。そうでなくても荷物にまつわるトラブルというのは世界中の空港で発生している。それも避けたいところである。

むろん、荷物が重いと疲れる。軽いに越したことはないという大命題がある。これも大事。

以下に、必要最低限のかばんの中味を見ていくことにしよう。

○下着・靴下～必要最小限。現地で洗っても乾かす時間はない。現地で買っても良い

○衣類～７日間着たきりとはいかない。軽量でかさばらないのが基本

○充電器類～スマホ、カメラなど、宿や空港などちょっとの時間でも充電。モバイルバッテリーもあれば尚可

○洗面道具～夜間飛行で着いた先では空港のトイレでヒゲも剃る
○カメラ（充電器類も）～スマホですませるのも可
○旅日誌・筆記用具～何か記録は残したい。スマホやＩＣレコーダーに喋るのも可
○ガイドブック～必要最小限。場合によってはいらない。必要な情報だけスマホに残しても
○上着～南北の寒暖差、朝夕の気温差に備えて
○雨具～折りたたみ傘程度

これらをフルに持参するにしても、それぞれ最小最軽量というようなものにするのがベターである。

さて、ノートＰＣを持っていくのかどうか、思案のしどころである。空港で、機内で、一定の時間を過ごさなければならないの

であって、ＰＣでもあれば旅日記をしたためられると思えば持参すればいいし、そんなものメモで十分というのであれば、そのように。ＰＣというのは空港での取り扱いが年々変化している厄介な物品でもある。しかも、軽いとはいえデリケートなものであり、かさばる。軽装となれば、全財産が自分自身と行動を共にしてもいる。そのあたりを勘案して決める。

また、昨今では水や水分は機内には持ち込めないことになっている。シャンプーやコンタクトの洗浄液でも１００mlを超えると廃棄されることになる。

そこで、ではかばんそのものはどうすればいいのかというと、それはお好みで。

機内には手荷物ひとつのみ持ち込み可という一般的なＬＣＣの

ケースを前提とするならば、小さめのスーツケースという手もあるが、ものの出し入れが面倒なので不向きだ。ディーパック程度の、ポケットがいくつかあるようなものが望ましい。あとはボストンバッグやズタ袋など、好みと旅の傾向に応じて。旅行かばん売り場では、一般的なLCCに持ち込み可能なサイズが参照可能なので、それを参考にする。だが、航空各社それぞれサイズには差があり、出発前には入念な点検が必要である。

例えばジェット・スターのWebサイトでは以下のようなポリシーとなっている。

「機内にお持ち込みいただけるのは、合計7kgまでとなります。キャリーケースなどのお手荷物1個とハンドバッグなどのお手回り品1個の計2個」。

キャリーケースについては3辺がそれぞれH56cm×W36cm×

D23cm以内というが、これがニュージーランドのジェットスターではH48cm×W34cm×D23cmだというのであり、そうなるとニュージーランドに立ち寄る可能性があれば、後者に従うしかない。ジェットスターではそのほかに、手回品として以下のものは手で持って機内に入れるとしている。ハンドバッグ、文庫本、財布、ノート型パソコン、コート、傘、免税品である。

ではそのほかに、例えば春秋航空ではどうか。Webでは「3辺の合計が115cm以内（幅56cm×高さ36cm×奥行23cm以内）」とされている。サイズはジェットスターとまったく同じだが、重量がここでは5kgまでだというのである。

これらの規定は、繁忙期と閑散期を通じて変更はない。きっちり規定通り運用する会社、空港、スタッフもいれば、規定は規定だけど随分いい加減な便もあるが、ところ変われば手も変わるので、規定は遵守してかかった方が身のためである。オーバーした場合は機内預けになり、もちろん規定の料金を支払うことになる。

サイズと重量に制限があるのはわかった。これには個人の体重や容積は無関係である。ハンカチや財布の入ったポシェット程度は手回品として持ち込みが可能だが、いま少し嵩を足すにはどうしたら良いのだろう。つまり、かばん以外の収納場所である。

フィッシャーマンズ・ベストのような無数のポケットのついたジャケットや深い深い収納のあるコートは重宝する。まずはポケットに詰め込めるだけ詰め込んで、機内に入ればひと安心ではある。目的地に着いたら、トートバッグにでも移して持ち運ぶ。異様に膨れ上がった状態のコートやジャケットを着たまま行動する必要はないのである。

だが、五大陸弾丸旅行では、それほど多くの荷物を要しない。とにかく身ひとつを弾丸にしてひとっ飛びするので、あれこれ持ち歩く必要がないのである。

健康

日本旅行医学会という医学の研究団体がある。文字通り、旅行と医療の関係を研究し、「人の移動の安全と快適性を高める医学」を推進するとしている。同学会のサイトに「旅行医学豆知識　過酷な航空機内環境」と題したコーナーがあり、機内の環境は地上とすこぶる違うという事実を発信している。

○地上約10kmを飛ぶ航空機の機内環境は、海抜2500メートルの富士山五合目と同じ0・8気圧しかない。

○酸素量も地上より20％も少なく、血中酸素も5％減少する。
○機内の湿度はサハラ砂漠よりも低い5〜15％しかない。
そのため、高齢者や心肺の疾患のある人、貧血症の人には過酷と警鐘を鳴らしているのである。

さらに、長時間のフライトでは目に見えない汗による脱水が起こり、1時間に80cc、5時間だと400cc、10時間では800ccの水分が肺と皮膚から失われるのだとしている。

そこから、体内の血液が濃くなり、血流が停滞し、ふくらはぎの深部静脈に血栓ができやすくなる。血栓は静脈と心臓を経て肺に達し、そこで詰まると肺塞栓となり、胸痛や呼吸困難が起こり、場合によっては死に至るという。これがロングフライト血栓症、人呼んでエコノミークラス症候群である。エコノミークラスに恐怖心を持つ必要はないが、両脇を挟まれて、長時間身動きが取れない席もないではない。ファーストクラスなら、ときおり通路で屈伸運動なども気軽にできるが、格安チケットではそうもいかないということもあるのだろう。

そこで、このロングフライト血栓症にかからないために、日本旅行医学会は７つの予防策を提唱している。

○２～３時間ごとに歩く
○座席に座ったまま、かかとやつま先の上下運動と腹式呼吸を一時間毎に３～５分行う
○水分をまめに摂取する（アルコールは脱水を助長するので避ける）
○ゆったりした服装
○足は組まない

○睡眠薬は使用しない
○座席は通路側に座る

最後の、通路側の席を取るというのは、生死を分ける椅子取りゲームのようで怖いが、高齢者や心肺の疾患のある人、貧血症の人はそうすべきと言っているのである。

世界一周旅行者は、飛行機で高度1万メートルに上がって機内の低い気圧に晒され、数時間後に地上に降りて元の気圧に戻る。それを7日間で少なくとも日本↓アジア↓ヨーロッパ↓アフリカ↓ラテンアメリカ↓北米↓日本で6回繰り返す。経由便だとそれ以上繰り返す。そのこと自体に健康上の負担や負荷がかかるという指摘はない。エコノミークラス症候群に留意して、7つの予防策をしっかり実行していれば問題はないと心得よう。

だが、機内泊も混ざる弾丸旅行は体力はぜひとも必要で、日によって体調まちまちなので、今日はホテルでゆっくりしようなどということができない。とにかく空港に行って飛行機には乗らなければならない。

そういうふうにできている。日頃から、体調維持に努めるしかないのである。

第２章

実踏《じっとう》編

旅程（2017/3/24 ~ 3/30）

3/24			
中国国際航空 CA422	7:10	HND 東京 羽田空港	3時間45分
	9:55	PEK 北京 首都国際空港	
3/25			
中国国際航空 CA949	1:30	PEK 北京首都国際空港	11時間05分
	5:35	MXP ミラノマルペンサ国際空港	

¥41980

3/25			
ロイヤルエアモロッコ AT951	17:10	MXP ミラノ マルペンサ国際空港	3時間15分
	19:25	CMN カサブランカ ムハンマド5世国際空港	

¥11639

カサブランカ泊

3/26			
ロイヤルエアモロッコ AT972	7:50	CMN カサブランカ ムハンマド5世国際空港	1時間50分
	10:40	MAD マドリード・バラハス空港	

¥14554

エア・ヨーロッパ UX193	15:15	MAD マドリード	10時間
	18:15	BOG ボゴタ・エルドラド空港	

¥39205

ボゴタ泊

3/27			
スピリット航空 NK400	14:10	BOG ボゴタ・エルドラド空港	3時間50分
	19:00	FLL フォートローダーデール空港	

¥21739

マイアミ泊

3/28			
ヴァージン・アメリカ VX337	18:59	FLL フォートローダーデール空港	5時間45分
	21:44	LAX ロサンゼルス国際空港	

¥17549

3/28深夜			
アメリカン航空 AA2406	0:30	LAX ロサンゼルス国際空港	3時間10分
	5:40	DFW ダラス フォート・ワース国際空港	
		空港で接続　待ち時間	6時間20分
アメリカン航空 AA8481	12:00	DFW ダラス フォート・ワース国際空港	13時間25分
	15:25 (+1)	NRT 東京 成田空港	

¥54400

総計　¥201066

2017年3月24日

出発

うーとか、あーとか、言ったようにも思う。

出発間際はいつも徹夜続きになる。そんなに大した仕事などしていないのに、こんな時に限ってなぜかいくつも仕事が入る。そしていつもの、スケジューリングのまずさ。こなしているだけで、時間が過ぎていく。

出発前夜。そんなこんなで眠りについたのが1時頃だったと思ってみてほしい。そして目覚めたのは6時過ぎだったとしよう。

4時台の始発の電車で羽田に行かなければならないはずだが、この時間は……。

やっちまった。久しぶりにやった。

4時過ぎに合わせてスマホのアラームを2度かけて、確かに鳴ったはずだったが、二度寝してしまったのだ。中高生じゃあるまいし、二度寝など滅多にしたことがない。そんな自分が世界一周に出発する朝に寝坊するのか……。徹夜続きで疲れ過ぎていたのだが、いかんともしがたい。

飛行機の出発は7時10分。そして只今は6時20分。出発時刻まで50分間。どう見ても、どう急いでも、どうあがいても無理だ。国際線なら2時間前のチェックインが常識なのであり、1時間前だとギリギリというのに、1時間を切った段階で空港から遠く離れた自宅で呆然としている。

当方、本日から7日間世界一周というのに出発する予定である。予定だったが、これこのような事情で、出発は非常に危うくなってきた。

申し遅れたが、当方は、日本旅行文学会の中の人、中年トラベルライターである。ガイドブックとかトラベルエッセイとか、そういう、旅をして文章を書いて、写真を撮ることを生業としている。だから旅が上手かというと、これこのように失敗談で食べていると言っても過言ではない。

うめき声が自然と漏れた。うーとかあーとか唸りながら、立ち上がり服を着て、荷物を持ち、玄関を出た。顔を洗ったかどうかも覚えていない。

小走りに歩きながら考える。万が一、予定の便に搭乗できる可能性としては何が残されているだろう。

飛行機は、遅れる可能性がある。それはある。遅れた挙句に離陸の30分前にチェックインすれば、飛べる可能性がある。それは、少ないがある。国際線に30分前にチェックインした経験は、ずっと昔だけど、ある。可能性があるとすれば、機材の整備か何かで飛行機が遅れることだけだ。

歩いているうちに時刻は午前6時30分を過ぎている。目覚めて十数分で、表通りまでは来たのである。駅に向かうのではない。タクシーを拾うのだ。空港までタクシーで行くと1万円以上かかるだろう。それでも行く。

このとき脳裏に、出発をやめるという発想はついぞ浮かばない。やめられないのならば行くしかないのだった。仮に乗り遅れたとしても、次の便で北京まで行き、北京で合流してミラノまで行く。これが事ここに至った時点での選択肢で、全てを無にするという選択肢は浮かばなかったのである。

やめなくて良かったのかどうか、続けて良かったのかどうか、旅の途中や、旅から戻って、僕は幾度となくこの問いを、自身に問うことになる。

やめておいたらあり得たことは何かあるか。いや、何もないのだ。旅とは、行かなければ始まらない。行かなければ無だ。旅になど出ずに、無のまま漂っているのが日常なのであるから。

だが、そんなことは機中の人となってから考えれば良いのであって、今はタクシーをつかまえるしかない。羽田空港に一歩でも近づこうと歩きながら、後ろから来るかもしれないタクシーを、振り返り振り返りして探したのである。だが、平日の6時台に郊外の街に流しのタクシーなどない、というものなのだろう。通りにタクシーは絶無であった。

タクシーは諦めて、ついに電車で羽田空港国際線ターミナル駅を目指すことにする。最寄りの駅に向かう。

朝の、通勤ラッシュにまぎれる。生気のないサラリーマンたちにまぎれて、ひとりものすごい焦りを抱えた人物が電車の揺れに身をまかせている。それが僕だ。こんな日に限って、車内はとても静かである。吊り革につかまって、スマホをフル稼働させて便が遅れているかどうかを、羽田空港のサイトにアクセスして調べる。サイトでは時刻通りとなっている。つまり、ほどなく飛行機は北京に発ってしまう。

それでは、次に採りうる手段は何か。それは、北京合流である。北京までどうやって行くのか。それは中国国際航空のカウンターで、次の便に乗せてほしい、と申し出るのだ。それはあわよくば容れられるかもしれない。そしてあわよくば、タダかも。あるいはいくらか差額を支払えば乗れるかもしれない。スマホをフル稼働させると、中国国際航空は一日に何便もが北京に飛んでいるらしい。次々に便を逃しながら、旅程をあとからあとから追いかけ続ける自分のトンマな姿を思い浮かべる。そして、もっとも恐ろしいこと、それは旅を続けるために致し方なく法外に高い旅費を支払わされ続けることだった。これについては、「考えないことにする」という自衛策をもって自己防衛を図るしかなかったのである。

僕が住む神奈川県川崎市の北の方の街から羽田の国際線ターミナル駅に向かうためには、まずJR南武線に乗り、次に川崎駅から京急川崎駅まで歩いて京急線に乗り換えることになる。不幸中の幸いというのがもしあるとしたら、今回のこれが成田空港でなく羽田空港であったということだろうか。羽田なら1時間で行ける。成田なら、その倍以上かかるのである。

朝の南武線は本数が詰まっているのか、のんびりと遅い。どうしようもないそんなことにも焦りを感じながら、川崎駅から京急川崎駅との乗り継ぎも小走りに移動する。

ようやく羽田に着き、中国国際航空のカウンターにたどり着いたときには、すでに飛行機は発ったあとだ。成田であろうと羽田であろうと、あまり関係はなかったのである。

ジタバタしても仕方がない。乗り遅れたのだから、恥ずかしい。だが、平然と「乗れなかったので、次の便に乗りたい」と言ってのけなければ、逆にみじめだ。

そして、空港に遅刻する人というのはいつも意外といるようで、僕の直前にも「乗り遅れたから便を変更して」と言う女性がいたのである。どうしてこんなことになった？　まあ寝坊でしょうな。

同志を得た思いかというと、少し違う。航空券というのはノーマルチケットから超格安航空券まで千差万別で、他人と自分のステータスは雲泥の差がある。ステータスによって、他人と僕へのスタッフの態度も千差万別なのである。ノーマルチケットに近くなるほど、「ああ、はい、わかりました。変更しておきます」と言う返答に近くなる。格安チケットであればあるほど、「そういうリスクを負うのが、格安チケットですよぉ」という返答になる。

便の変更について、空港のカウンターの職員が言うことはただひとつ。「チケットを買ったところに連絡して、変更してもらってください」というもの。

そうなると、旅行代理店に電話が繋がるかどうかということが命運を分ける。ネットで検索して最安値を追求。クレジットカードで決済し、チケットはｅチケットがメールで送られてくる。ｅチケットが送られることもなく、サイトに自らがアクセスして自分のステータスを確認せよという代理店も多い。とある、格安を売りにする日本の旅行代理店が２０１７年に破産したのは記憶に新しいが、格安を追求すれば人員配置は最少になるはずで、電話も繋がらない代理店では、僕のこのときの危機には対応不可能だったはずである。まして、ネットで予約したのが海外の旅行代理店や航空会社だったら。しかもこんにち、午前8時に電話が繋がるというのは、常識的には無理だ。

だが、スマホから電話をかけてみると、なんと旅行代理店には繋がったのである。あろうことか、24時間繋がるというのである。

これはどういうカラクリかというと、日本人客向けのコールセンターのようなものが、中国の奥地かどこかに設けられていて、流暢な日本語を話すおそらくは中国人スタッフが、厄介な問い合わせやクレーム、あるいは１００パーセント自分が悪いのに最大限の要望を突きつけてくる、今回の僕のような電話に対応しているのであった。電話番号は東京03のそれであり、一旦は東京某所にかかった電話は、ネット回線か何かを通じて、この地球上のどこかに転送されているらしかった。

「乗り遅れました。一便遅らせてください」

「変更は……、可能ですが、何日が宜しいですか。発券には12時間かかります」

「ああ、それではダメです。すぐ発ちたいのです」

「発券には12時間かかりますから」

「では、空港のカウンターで変更してもらいます」

空港の中国国際航空カウンターに行くと、「ここではできません。中国国際航空に電話してください」という。チェックインカウンターにいるあなたは中国国際航空ではないのかと思うが、無理なものは無理というのは今回の旅でこれからも味わうことになる。ゴネても醜悪なだけで、しかも何も得られないのだ。

それではと、中国国際航空に電話をする。

「変更は……、可能ですが、何日が宜しいですか」

「すぐが、いいのです」

「変更手数料が２万円かかります。それと乗り遅れた便との差額がかかります」

「はい」

「計算しますから少々お待ちください」

20分以上待っただろうか。この電話が命綱のような気持ちで待ち続ける。羽田空港の国際線出発ロビーを行きつ戻りつ何往復もして待つ。空港ロビーの、日本橋とかいう外国人観光客を喜ばせるためだけに作ったようなキッチュな橋のオブジェのたもとで待つ。

そしてついに、計算は終わったのであった。

「安い席は空いていませんでした。差額は26万円になります。合計で28万……」

最後の方の端数などもう耳に入っていない。

「ちょっ、それはちょっと……。高過ぎる」

「はい、安い席は空いていませんから」

「それはわかったけど、26万円って……」

そそくさと断って電話を切る。僕は再びうーとかあーとか、心の中で唸った。今回の世界一周チケット総額を上回る金額が東京

〜北京だけでかかるというのである。寝坊した自分が悪いのだった。どうしてくれるのか、自分よ。

なんとか北京に行けば、残りの北京からミラノまで乗れるというようなことをカウンターの人は言っている。ならばと今度も、再びｉＰｈｏｎｅをフル稼働させる。チケット検索サイトで北京までの最短航路と最安値を検索し、購入する。一ヶ月以上前にパソコンを見ながら楽しく組んだ旅程をいきなり破り捨て、ｉＰｈｏｎｅから携帯サイトにアクセスし、数分で購入する。全然楽しくないどころか、苦痛この上ない。

チケット検索サイトからとある代理店のサイトに飛ぶと、そこでは回線が混んでいるのか、あるいはこれが中国の代理店だからなのか、いくらやっても購入が完了しない。ならばと、同じチケットを、今度は別の代理店のサイトに飛んで、数百円高いのをガマンして購入する。アジア系航空会社の便で北京までの片道航空券が約5万円。ミラノまでの代金よりも途中の北京までの代金がオーバーするという事態だが、むろん、額面28万円には代えがたい。購入が完了すると、確認メールが来る。これがｅチケットになる。

ひとまず、完了。

5万円で済んで良かったと思うことにするしか、実に方法がない。ショック状態ではあるものの、脱力しているヒマはない。買ったら乗るのだ。

乗る前に、ひとつ確認しておきたいことがあった。北京からミラノまで、残りのチケットでちゃんと乗れるという確認である。先ほど空港カウンターのスタッフは、「北京まで行けば乗れますよね」「はい」と言った。それを、確実なものにしておきたかったのである。

旅行代理店の、中国の奥地かどこかにあると思しきコールセンターに再び電話をする。すでにお天道様は高い。電話が殺到しているのかどうかは知らないが、何十分待っても繋がらない。しかし便利なもので、電話番号を入力すればコールバックしてくれるサービスがあるという。僕は電話番号を入力した。そしてコールバックがあったのは、すでに機中に座って、スマホを機内モードに設定しようとしたまさにそのときだったのである。もう出られまい。気になっていたことを確認する手段は失われたが、この地球上のどこからかかかっているこの電話、ｉＰｈｏｎｅでは、発信した場所の地名までが表示される仕組みだ。アリゾナ州フェニックスと表示されていた。何でもお見通しだ。

僕は、アリゾナの砂漠の向こうに日本語堪能な中国の女性たちのコールセンターがあるのを想像して、不思議な気持ちになった。だが思えば、中国人を米国の地方都市に集めるなんてことはありえないだろう。東京03宛の電話番号がアリゾナ州フェニックスにまで転送されているのだからして、さらに中国の某所に転送させるのも造作もないことだろうと思う。

ああ、だがこのようにして、7日間世界一周旅行は、あってはならない幕開けを迎えたのであった。

2017年3月24日

2日目

中国・北京

Beijing

人民日報 海外版
PEOPLE'S DAILY OVERSEAS EDITION

亚投行

贡献发展机遇　完善全球治理

习近平和普京分别致贺信

习近平向英国女王致慰问电

博鳌亚洲论坛年会启动

民间美术进校园

亚投行“朋友圈”越来越大

本日付の人民日報

北京は曇っていた。

先ほどまで降っていたらしい雨は上がり、地面は濡れている。北京といえば大気汚染が深刻と聞いていたので、マスクを持ってくるべきだったかと思うが、大気中を漂う有害物質も、雨で流されたと思うことにしよう。

機内食は、チキンかビーフかと聞かれたのだった。それでチキンと答えたのに、ビーフが渡されたのだった。無料だからとビールを飲んでいては、胃腸が疲れる。水にしたのである。弾丸旅行では、ビールは地上で飲むのである。

中国には僕は、１９９０年代に新鑑真号に乗って上海に来たほかは、21世紀になってから上海に一度来たことがある。新鑑真号というのは神戸港と上海を２泊３日で繋いでおり、夏のアジアを目指すバックパッカーたちがすし詰めだった。彼らは上海港に入るなり、重い荷物を背負ってわれ先に駆け出し、数百メートル先の浦江飯店《ぷーじゃん》のドミトリーのベッドを確保するならわしだ。早い者勝ちなのだ。今ならネットで予約は済むし、スーツケースをゴロゴロ引っ張るのであって重いバックパックを背負って足腰に負担などかけはしない。浦江飯店のカウンターに文字通り行列を作って、先頭集団は安いドミトリーに入ってひと安心。競走に負けた者たちは即席のグループを作るなどしてツイン・ルームに3、4人で入り、宿泊料金を節約しようとしていた。

新鑑真号で来たときには、そのまま広州・香港・南寧などを鉄道やら船やらで、つまりは一度も飛行機に乗らずに巡った。香港でベトナムのビザを取得し、ベトナムでカンボジアのビザを取得するという寸法だ。陸路でベトナムに入り、そのままカンボジア・アンコールワットへ。その頃はクメール・ルージュの残党、いわゆるポル・ポト派がいたのでそのままタイへは陸上移動はできず、プノンペンからはこの旅で初めて飛行機に乗ったのだった。プノンペン国際空港は、その時のカンボジアで僕が体験した唯一のエアコン付き建物だった。

新鑑真号のバックパッカーたちは、おおむねチベットを目指すか東南アジア経由インドを目指すかに大別できた。チベットは地勢的にも政治的にもひとつの難所なのであり、入境情報も錯綜していた。一度チベットに入った者は、境界が閉まって足止めを食らうのを恐れて上海や北京に戻らず、出国してネパールに抜ける者が多かった。一種の緊張感をまとっているのがチベット行きの特徴だ。一方の東南アジア・インド組は、大いにユルかった。僕もそのひとりであった。

中国資本主義を牽引するのが上海だとすれば、今回のきょう、ここ北京は首都であって、政治の中心なのだろう。空港も、人呼んで首都机場。どんどん豊かになりどんどん膨張していく中国を世界中が警戒している。世界中が警戒していると、日本の僕たちは思わされているが、さて。

北京での入国審査は、世界の空港と比較してもスムーズである。ほぼ待ち時間が平準化するように、はいあなたあっちあなたはこっちと振り分ける係員もちゃんといる。

入国審査を終えると、機内預けの荷物はなくディーパックひとつだけの僕は、荷物のピックアップに時間を取られることがない。こうなると、これまで一週間程度の旅行になぜ大きくて重い荷物を持ち歩いていたのか不思議に思う。大きくて重い荷物の中味は何だったか思い出せないほどだ。それは一眼レフカメラに数本の交換レンズ、本にＰＣなどであったろう。撮れもしない写真、やりもしない仕事のために、念のために持つ荷物のなんと多かったことか。身ひとつに鞄ひとつの旅行者となった今は、過去の自分を蔑んでいる。

空港から市中へは、バスか鉄道で行く。公共交通機関があるときは、それで行く。それが僕の旅のスタイルである。飛行機とバスと鉄道と船があるときは船鉄道バス飛行機の順が希望だ。だが、この度は7日で世界一周をしようというのであり、移動に時間をかけることはできない。だから船はなしだ。鉄道かせいぜいがバスである。タクシーは、最後の手段となる。

電車の机場線で東直門まで出る。25元は安いと思う。モダンな車両である。車中では、ある動画がかかっている。国家機密をカネや女に釣られて外国勢力に売り渡すと大変なことになるという動画で、公安がついているから心配ない、断固取り締まるという内容である。これが繰り返し繰り返し流れるので辟易する。車内で真剣に見ている者はいない。全員、スマホの画面に釘付けである。携帯電話でしゃべっている者もいる。大声でしゃべっている者もいる。これがこの先いやというほど見せつけられる、世界のスマホ問題であった。

中国のマナー全般は、やはり多少悪く感じる。バスや地下鉄から満員の乗客がドアから吐き出されるというのに、そこに向けて鯉の滝登りよろしく果敢にも無理やり乗り込もうとする乗客が必ずいる。降りてから乗るという観念がまだないのだろうか。

だがよく見てみると、マナーが悪いというよりは、周囲の人垣など眼中にないと言った方が良いのかもしれなかった。日本の場合は、目の前の人というのは非常に気になるのであり、常に遠慮、ないし対抗心、あるいは警戒心がある。前方から来てすれ違うときに、譲り合えば謙譲、肩が触れれば軋轢が生じる。だがこの中国の、目の前の人への関心のなさはどうか。人波をグイグイ逆流する乗客に悪意はなく、押しのけられた人垣にも反発はあまり見られない。携帯で大声でしゃべっている乗客もいる。しゃべっている人はがさつで不器用そうだが、周囲の人はこの迷惑行為に関心がないようにすら見える。戦闘ゲームに、スピーカーをオンにしてガガガだのバキュンバキュンだのを響かせながら興じている若者もいるが、周囲はハタ迷惑そうにもしていない。関心がないのではないか、そう思うに十分な雰囲気がある。

これをもって大陸的という。そういうことなのかもしれなかった。

北京に着いたら天安門には行ってみたいと思っていた。１９８９年の天安門事件に関心があるとは言えないが、文化大革命には多少の興味があった。何しろ、死傷者一千万人、被害者一億人という事件の下手人が、未だに全てのお札に肖像が載っており、首都の真ん真ん中の広場に超巨大な肖像を掲げて祀られているというのに、僕としても大いなる違和感をもっているのである。そこには観光客が引きも切らないらしい。その場の雰囲気がどういうものかはぜひ感じてみたいし、その場の空気を呼吸もしてみたいものである。

北京の玄関口である東直門駅から天安門東駅までは地下鉄に乗り換える。北京の地下鉄は、年表によると東直門も通る2号線は１９６９年10月に開業している。それこそ文革の真っ最中に開通したのである。知識人やエスタブリッシュメントを引きずりおろ

中国を代表する光景か。天安門

混み具合はそれなり。北京の地下鉄

して吊るし上げる紅衛兵の闘争とやらが連日繰り広げられて、生産も秩序もあったものではないときに、地下鉄が開業するとはどういうことか。実に不思議な気持ちである。駅舎は、確かに60年代の佇まいを感じさせるタイル張りだ。それを21世紀風に繕ってある。このタイルの壁の下を紅衛兵たちはわが者顔で練り歩いたのだろうか。

曇ってはいるが、日中の北京の気温はぐんぐん上昇する。東京と比べても寒かろうと踏んでいたので、これには少々おののく。寒すぎても暑すぎても観光は成り立たないので、春と秋は旅に好適である。首都の真ん真ん中、紫禁城も間近にある天安門広場一帯は、ひとつひとつの区画がだだっ広く、歩いても歩いても際限がない。このコンクリート・ジャングルで真夏の観光は、少々辛いだろう。

天安門広場は、89年の事件のあとも最大級の治安対策がとられており、爪の先ほどの示威行動もできないようになっている。国内外各地からものすごくたくさんの観光客が詰めかけているが、もはやそのことに不満を持つ者はいないようだ。少なくとも天安門広場を観光しようという人々には。売店では五星紅旗がよく売れていた。

広場へはぶらりと地上を歩いては行けないようにできていて、荷物検査を受ける小屋を通ってから地下道をくぐって行くのである。さらに後戻りはできないようになっていて、天安門広場に一旦集まった群衆は、紫禁城とか中山公園とかの方面へ分散される仕組みになっている。この度の僕は、一旦天安門広場に行ったあと、紫禁城まで流されて行ったのである。ひとつひとつの区画がだだっ広く、遠くに流されてしまうと、天安門前のあの一角に戻ろうという気力は失われるのであった。

天安門裏の紫禁城は博物館になっている。これもまた威信を見せつけるのに十分な巨大さである。清朝時代、この城に、住人としては皇帝がひとりと、あとは住み込みの国務大臣や皇帝のお世話をする宦官たち1000人あまりが住んでいた。ベルトリッチの映画「ラスト・エンペラー」では、辛亥革命から十数年を経て、城から追い出される宦官《かんがん》たちが、かつて去勢した自分の性器を捧げ持って紫禁城前をうろつくシーンがあった。その部分は、切除後も大切に保管し、埋葬時に合流したのだという。

僕たち観光客も、ぞろぞろと追放された宦官たちのように漂って紫禁城を遠回りに一周する。やがて文革で入水自殺した作家、老舎の旧宅あたりに出たが、扉は閉まっていた。

古都に人力車。どこでも同じ

続いて訪れたのは、フリーマーケットのような骨董市場で、潘家園旧貨市場という。潘家園駅から数分の場所にあり、バンコクのウィークエンドマーケットのような規模だが、石像、書画、骨董品など、基本的に古い物が中心である。日本のフリーマーケットぐらいの間口で、奥に店主が座り、客と対面で取り引きしている。

ここでも僕の関心は毛語録や毛沢東バッヂである。何億枚作られたかもわからない毛バッチであるから、21世紀のこんにちでも続々と元紅衛兵の家などから発掘されているのかもしれない。1980年代、つまり文革終結からほど近い頃には日本の大中（中国製品を扱っていた雑貨屋）などでも売っていたほどで、つまりは毛沢東思想とともに世界中にばらまかれたとなれば、各国の中国大使館の倉庫などにまだごっそり死蔵しているかもしれないな。

誰が買うと言うのか。とはいえ意外と売れるのか、マオグッズ

マーケットは古いのがセールスポイントである。とはいえ、毛の肖像画、毛バッヂ、毛語録……、誰が何のために買うのかが不明だ。若者が再評価して群がっているとか、老人たちが懐かしんで買い求めるとか、いくつもある〝毛ショップ〟の前には、冷やかし程度の客ぐらいしかいない。1億人と言われる被害者は、どのように毛の亡霊と接しているのだろうか。

だが、僕が買いたくなるようなものはなかった。

中国まで来て、もちろん全世界チェーンの珈琲店には行きたくなかったが、中国のチェーンならいいだろう。

おそらくは、他のアジア諸国と同様に、この国にもコーヒー・カルチャーをもたらしたのはスターバックスなのではないか。それゆえ、日本でいう一般的なコーヒーというのは、ここではカフェ・アメリカーノを指す。日本でアメリカン・コーヒーというのは薄いのをいうのである。スターバックス・コーヒーはイタリアン・ローストのこってり濃厚なのを出すのではなかったか。しかしここでキャラメルマキアートとかカプチーノとかを指定しないで、「コーヒー」とだけいうと「カフェ・アメリカーノ？」とわざわざ聞き返され、頷くしかない。そうすると淡いというか薄いコーヒーがミルクも付かずに出てくるので、不満が残るのである。

それがいやで、台湾のチェーン「85℃」に入る。台湾ということは海外のようであり中国のようでもある。おそらくは珈琲が一番美味しい温度は何度かというような発想でつけた店名なのだろう。ベーカリーを兼ねていて、欧米人観光客もちらほらと。

そこで海岩珈琲12元を喫す。この海岩珈琲、欧文表示ではしっかりとSea Salt Coffeeとなっていて、うわっとなる。珈琲に本当に塩なのか、塩入りなのか。いや、コーヒーに塩を入れればそれは明らかに不味いはずであり、それを客に出す店はあるまい。ならば何なのか。微妙な隠し味なのか。怖いもの見たさも手伝って、それをオーダーしたのであった。

実際は、珈琲にソルト・クリームというべき上物をかぶせたものであり、クリーム自体は多少しょっぱさがある。それが珈琲の甘さ（砂糖が入っていて最初から甘い）を引き立たせる効果はある。やはり隠し味だったか。結論から言うと、これは美味しい珈琲である。中華珈琲は侮れない。

北京の道路事情でいちばん印象に残ったのは、電化が極限まで進んでいることである。道路を走るのは電気自動車や電気バイク、トロリーバスが大半で、エンジン車は少数であるように見える。

台湾珈琲のチェーン店。タピオカミルクティーが大挙押し寄せる日本には、台湾珈琲はまだ

もちろん人力の自転車もたくさん走ってはいる。辻々にレンタサイクルの置場があり、スマホでかざして借り出し、そこら中に乗り捨てるシステムになっているらしかった。ストリートは基本的には静かなのであり、エンジンをブンブンいわせる車は皆無であった。とはいえ、北京は大気汚染に悩む大都市なのである。電化はその解決のための試みなのかもしれなかった。

晴れたり曇ったりではあるものの、日中の気温はそれなりに上がる北京であったが、日が陰るとまずまずの冷え込みである。

そんな中、屋外での飲みを選択したのであるから、僕も文字通り酔狂。場所は后海公園という。「もう、街全体がバーなんです」というような口コミを得て行ったのである。そのような風評から、もう街全体がバーであるような場所をいくつか連想する。例えばバンコクにはそんな場所が随所にあるし、香港のナイトマーケッ

スマホで借りる電動アシスト自転車。北京市内ともなれば、ステーションは無数にある

ト、ラングーンのビアガーデン通り……。楽しそうだ。ここは、少し寒いけど。

后海公園を一回りする。公園脇の売店でビールを飲んでいるグループはある。太極拳やダンスなど、暗闇の中で中国式健康法を実践する集団はいるものの、屋台街という面影はない。もう一周する。口コミであるからして、ガセネタをつかんだのかもしれなかった。あるいは、始まる時間が遅いのかも。

仕方ない。あの売店で飲もう。

公園脇の商店、いくつかのグループがここでビールを買い、小椅子を出して小机を囲んで飲んでいる。口コミはこの空間を指していたのだろうか。だとしたら、貧相だ。だが、北京の庶民の傍らで飲みたいと目指して来たのであり、一段座らせてもらおう。売店脇の一卓が空いている。ひとりで飲んでいる人はいない。売

焼き鳥に、生ぬるいビールを、寒い屋外で飲む

店の親父に「ビール」と言って、燕京ビールをもらう。それを持って、「ここに座ってもいい？」と目配せで会話。

つまみが問題なのだが、この売店を中心に、串焼き屋が2軒と正体不明の食べ物屋が店開きしている。そこに行って、目の前で焼いているものを指差し、「10本」とメモ帳に書いて見せるが、どうも要領を得ない。今度は「十本」と漢字で書いてみる。まだまだ。両掌を開いて十を示す。何とか伝わったたか。

焼き物はいくつも種類があり、口で説明するなど至難のワザだ。とにかく中国では空港とか観光地のカフェでもない限り、カタコトの英語でも伝わらない。占領と五輪と万博ですっかり英語に慣れた日本からするとガックリするし、苦労もする。

ビールは、常温ではないが冷暗所保存程度の冷え具合だ。市中の商店などでは、キリッと冷えたビールになどお目にかかれない。

この寒々しい戸外で、あまり冷たいものを飲むのも考えものではある。

寒い戸外でビール。ここで当然のことながら、トイレが問題となる。ここで中国トイレ事情に直面することになる。先に行った潘家園旧貨市場などには場内に公衆トイレがあった。だが、85℃のようなカフェや巷の食堂などにはほぼトイレがない。カフェでトイレがないとはどういうことかと思うが、トイレは公衆トイレを使うしかない。そのため、北京には公衆トイレが文字通り辻々にある、と思って差し支えない。ひょっとしたら、下町の家々にはトイレがないところも多いのではないか。そのための辻々の公衆トイレなのではないか。

かつては悪名を轟かせた中国式厠《かわや》ではある。地方に行けば、便器も仕切りもない小屋の中で自由に無軌道に用を足すところもあ

ドアがないのはまだマシで、仕切りすらないのもある

るには違いないが、五輪都市でもある北京の公衆トイレのレベルは、経験からすると最悪ではない。モダンで清潔だ。だが、ドアはない。「個室」は高さ1メートル程度の仕切りで分けられている。僕は昼間、市中のあるトイレに入ろうとして、個室使用者数人がヌッと顔をあげてこちらを見るのと出くわし、いたたまれなくなって退散したのであった。トイレ問題はそうなっていた。

串焼きを10本、そして次には自分の串を指差して「５本」と身振りでオーダーし、さらには濡れ落花生にもありついて、ひとりで呑みに来た外国人は、后海公園を後にしたのであった。ビール2本と串焼き屋、そして濡れ落花生屋の会計は売店に一元化されており、38元（約５８０円）であった。

このときの僕は中国の食の安全性について、あまり深くは考えていなかったが、あの濡れ落花生は十分に怪しかった。

北京発は午前1時半である。地下鉄の空港線（機場快軌）の市中発最終は22時30分だという。国際線は2時間前のチェックインが望ましいが、空港で2時間待つのはたいていの場合、苦痛である。とはいえ、今朝のすったもんだがあったのであるからして、先行き不透明感からくる行く末への一抹の不安は、拭えない。23時には空港入りした僕であった。

各国の国際空港はとにかく巨大化の傾向にあるのか、北京のそれもまた果てしない超弩級の大きさである。僕には大きくする理由がわからないが、とにかく大きく広い。

アジアのハブといえば言わずと知れたバンコク、次いで香港だが、少し東の方、つまり日中韓でも東アジアのハブ空港の地位をめぐって覇権争いを繰り広げている。夜間に発着できない上に、都心から遠すぎる日本の成田空港に勝ち目はない。そこで羽田空港はどうかというと、駐機料が高すぎてＬＣＣが成田に流れているのでこれも厳しそうである。韓国の仁川空港、そしてこの北京空港と、威圧的なまでの大きさには、国際空港としての威信の醸成のようなものもあるのだろう。だが、ｗｉ-ｆｉもないハブ空港など、これまたありえない。各国各様に一長一短があるのだった。

地下鉄で運ばれてきて、てくてく歩いて空港に入ると、警備隊員にリトマス試験紙的な何かで衣服をひと撫でされる。理由はわからない。ひと昔前の日本のおいコラ警官のような警備隊員の態度はガサツやら偉そうやらで不快なのだが、中国人ですら同じ気持ちらしい。国家権力の暴力装置のイヤな感じは、国が発展していく過程での成長痛のようなものなのだろうか。

とにかく巨大な出発ロビーを、中国国際航空のカウンターめがけて歩く。とにかく巨大なので移動には時間がかかる。深夜に差し掛かる時間帯だが、ロビーは混んでいる。欧州便の出発が混む頃合いなのだろう。

　カウンター越しにｅチケット、つまりネットで航空券を購入したときの確認メールの出力紙を差し出す。だが、中国国際航空の地上スタッフは、果たして悪魔のセリフを言ったのである。

「あなたはこのチケットで羽田～北京を搭乗していない。このチケットではチェックインできない」

「そんな。これは僕のチケットなのである。僕は僕のチケットで飛ぶのである」

「そうであれば、あなたは羽田～北京の部分をキャンセルしなければならない」

「キャンセルは、どこで」

「あっちで」

またぞろ何やら怪しげな雲行きであるはずだが、この時点では僕はまだ面倒臭いなあという程度の気持ちしか持ち合わせていない。それならと、指さされた先にあるチケットカウンターへ、羽田~北京をキャンセルしに向かったのだった。

羽田では、旅行代理店、ついで航空会社に「電話して」と言われたのである。このとき、代理店や航空会社に電話することは、現地の携帯電話と契約していないこの状況下では無理だ。中国語をいっさい喋れず、英語もつたないのであれば、電話で意思疎通を図るのにも支障がある。深夜23時頃にチケットカウンターが開いていることも、ハブ空港を目指すなら必須条件だと思うのだった。

「このチケットの羽田~北京の部分をキャンセルしたい」

相手はチケットをしげしげと見ている。

「羽田~北京はどうした。なぜあんたはここにいる。どうやって来た」

「それは僕のミステイクです。別の便で来ました。カウンターで羽田～北京をキャンセルしなければ飛べないと言われて来たのです」

そうか、わかったというような、つまり取引が成立したと承知して宜しいような雰囲気で、チケットカウンターのスタッフは何やらパソコンの入力を始めた。これには実に時間がかかった。延々とパソコンの画面と睨み合っている。その間、何人もの客がカウンターを訪れるが、彼はパソコンに向かったままだ。しかもこのキャンセルというのは相当に難易度が高いのか、頭を掻いたり眉間にシワを寄せたり、一言で言って悩ましい作業に取り組んでいる体である。

だが、手続きというのは始めればいずれは終わる。この作業にも終わりが来たようだった。

「変更の手数料がかかります」

「そうですね。いくらです？」

「４８００元です」

うーとかああとか唸ったかどうかわからない。また来たのである。この時点で換算すると約７万５千円。これは高い。

「高いよ」

「チケットというのは設定がある。それを崩すと高くつくのは仕方ない」

僕の失策というのは、自分のチケットの一部分を使わなかっただけだが、違うのだろうか。それが、同じルートを飛ぶだけでそのチケットの３倍もの費用をもう一度支払わなければならないというのか。残念にもほどがある。それをつたない英語で言ってはみたものの、チケットというのはねと、もう一度航空会社のスタッフのチケット談義を聞かされるだけのことだった。

「もうやめます。キャンセルをやめます」

キャンセルをやめると、このチケットでチェックインすることは不可能になる。このような事態になるのは、ここが中国だからである。北京空港には公共wi-fiがない。インターネットには一定の制限がある空間である。つまり、羽田でのように、瞬時にして別のチケットを手配する芸当もまたできないのである。


だがそのとき、カウンター近辺をウロウロするチケットカウンターのスタッフとも、無関係の一般民間人ともつかない人物が近寄って来て言うのだった。手にはトランシーバーを持つ空港関係者であることは事実のようだが……。

「もっと安いチケットをアレンジしてやる」

この人が、旅にときどき出てくる旅の神様なのかどうかわからない。旅の神様とは、旅行中に決定的な危機に陥ったときに現れて、なんとかしてくれる存在である。かつて、中国南部の広州で迷い、香港行きの船着場に行き着けそうもなくなったとき、人っ子一人いない道で、こっちだこっちだとばかりに手招いて導いてくれた神様、南米で完全に路頭に迷ったとき、向こうから近づいてきてヒッチハイクに付き合ってくれた神様……。

旅にはこの神様というのが、絶対に存在する。だが、それは出て来てくれることもあれば、出て来てくれないこともある。

「安いチケット？　どうやって？」

「こっちだ」

チェックインカウンター、チケットカウンター、そして今度はこの人物に連れられて、広大な出発ロビーを、とあるブースへと導かれる。ブースの中には、私服の女の子。そう、制服でもスーツでもなく、働くモードがほぼ感じられないただの女の子は、旅の神様に耳打ちされると、パソコンに向かって何やら作業を開始した。

出発ロビーの一隅にあるものの、そこが何なのかも、ブースの中の人がどこに所属して何をしているのかも、僕にはわからなかった。ふいと現れて、親切ごかしてふっかける詐欺師まがいかも知れはしない。

ここでも、かなりの時間が費やされた。女の子のやっていたのは、やはりどうも僕が今朝やったような、ネットで格安チケットを検索するという作業に過ぎず、作業を終えてメモ用紙に走り書きしたのは5千数百元という数字だった。それなら、中国国際航空のチケットカウンターの方が安い。

「そりゃムリだ」

「中国国際航空の払い戻しがあるだろう」

「いや、ないよ。格安航空券だから」

うーとかあーとか呻きながら、僕は、チケットカウンターへと取って返すしかなかったのである。


カウンターでは、帰って来た僕を歓迎するでも邪険に扱うでもなく、チケットをキャンセルして再発行し、７万５千円もの料金を徴収するという作業が粛々と進められた。時間はかかった。

今朝からの、このドブに捨てるにも等しい支出の連続を僕自身はどう感じていたのだろうか。自分に、そして目の前で起きていることなのだから、「考えないようにするモード」というのは適用しようがない。そして、クレジットカードで支払ってサインするときの、残念で不快な気持ちというのも痛いほど感じている。ここでは「盗まれたと思うことにする」モードが、もっとも近い。自分ではどうすることもできない事態なのだから。

だが今朝の、出発時刻に起きなかったという自らの失策については、考えないことにするモードが適用されていたのだった。早起きすれば良かったんだ、自分。できなかったなのは誰のせいだ。僕だな。

チェックインカウンター再び。

羽田〜北京をノーショー（予約をした人がキャンセルの連絡もないまま、現れないこと。航空業界では迷惑行為になるらしい）で、別の片道切符を使って経由地に現れ、そして北京〜ミラノを手数料数千元を支払って同日に飛ぶという日本人。荷物はバックパックひとつである。そして、ミラノからの出国はと問うたところ、これもまた着いたその夜にモロッコへ向けて発つチケットを見せた。

これは怪しい。何がかはわからないが、何かが怪しい。そう中国国際航空チェックインカウンターの女性スタッフが思ったところで、不思議はない。チケットをしげしげと眺め、パスポートもめくりめくりして食い入るように見ている。周りのスタッフも巻き込んでいる。

中華民国（台湾）の入国スタンプは押してあるが、それを問題視しているわけではなさそうだ。あくまで旅程の不自然さが問題なのだろう。「いやー、７日間世界一周というのにトライしてて」などと説明したところで、理解してもらえまい。女性スタッフは、今度は電話でしきりと何か話している。公安だろうか。中国の公安か。イヤだなあ。

海外渡航は、自由なのである。ここが中国であったとしても、僕の海外渡航は自由なのである。まして、8万円近くを支払って、これ以上留め置かれる筋合いなどない。などと、人権問題を持ち出すまでもなく、チェックインカウンターのスタッフもまた、僕の怪しさについての追及を諦めたらしかった。最後は「エンジョイ・フライト」とパスポートを返してくれたのだった。

北京空港は広さは、嫌味なほどだった。

空港内を地下鉄が走り、搭乗者はそれに乗ってターミナルへと運ばれていく。ターミナルに着いても、そこからゲートへの道のりがまた長い。こんなにデカい空港であるから、まだ寒い春の夜に館内をすべて温めるのは不可能で、屋根の下であるにもかかわらず、ものすごく寒い。

寝坊してから19時間ほどが経った計算だが、ゲートへの長い長い通路を歩きながら、ややショック状態にあるのは、びっくりするほどの支出に見舞われ続けたせいに違いない。

ヤケ酒を決めこむつもりはないが、まだ開いている売店で買ったビールはアルコール度数が12度と表示されている。強いのだ。だが、ものすごく寒いゲートのベンチで飲むと、身体はいっそう冷えた。

きょう一日は長かった。いや、ツラかったと言ってもいい。それでも旅は続くし、旅自体は楽しい、はずである。これから乗り込むのは、北京発ミラノ行き夜行便。着いたら、イタリアの朝が待っている、はずである。

飛行機から見下ろす、寒々しい北京の夜景

2017年3月25日 3日目 Milano イタリア・ミラノ

夜行飛行機で機内泊。１週間の旅程中、今夜行くモロッコ・カサブランカを除くと、コロンビアのボゴタ、米国のマイアミでしか宿泊施設に泊まらない。夜行便では眠るという算段なのである。

とはいえ体感的には、太陽を追いかけるように移動しながら、１６８時間を５つに分けて過ごす感覚になる。３泊しかしないからといって、６泊７日のうちの３泊を徹夜か機内泊で過ごすという感覚にはならない。長い長い１日を過ごした中国から、日付変更線をひょいと飛び越えてプラス１日かかる太平洋航路も。したがって機内泊は、北京〜ミラノと米国〜東京だったというのが実感である。旅の始まりのまだ体力があるあたりと、旅の終わりで帰国すれば何とでもなるあたりで機内泊。よくできている。

ミラノ・マルペンサ空港へは夜明け頃に到着。

機内泊とはいうものの、気圧は変だし音はうるさいし、シートというのは横になるのでなく座るのであり、眠れはしない。しかも、高額支出のショックから精神的に立ち直っていない。機内では、まどろんだだけだ。

空港のトイレで洗面、ヒゲ剃り。そういう人は結構いた。

ミラノというのはイタリア第二の都市らしいが、それで人口は130万人だという。首都ローマですら、人口はこのほぼ倍というのがいい。見渡してみると、ロンドン（900万人弱）、マドリード（500万人超）というのを例外に、ヨーロッパの大都市の人口は多くてもせいぜい３００万人前後である。首都が超過密になり地方ががらんどうになっていく状況は、むしろ日本やアジアに顕著というだけなのだろう。どの統計を見ても、東京・横浜を含む東京圏人口は、３千万をゆうに超えて世界一多い。人口が密集しすぎると人々はイライラしたり殺気立ったりするものらしい。今の東京はかなり殺気立っている。それを、発展と引き換えの緊張と描き出す人もいるが。

空港を出て、朝いちばんの電車でミラノ市中を目指す。切符の自動販売機はクレジットカードが使える。

沿線はおおむね霧に包まれている。須賀敦子の随筆に『ミラノ霧の風景』というのがあるように、ミラノに霧は付きものなのだろう。須賀の別の著作である『コルシア書店の仲間たち』のコルシア書店はこの街にはすでにない。

霧に包まれる早朝のミラノ郊外

日本の東京近郊であれば、6時台は通勤ラッシュである。7時過ぎには職場に着いて、始業前にサービス残業する人は多そうだ。会社員の時代にはサービス残業はさせられたが、只今はこちとらフリーランスなのであり、報酬の安さも仕事の繁閑も個人の事情ということになる。郊外とミラノ市中を繋ぐ空港線に乗ってくる客は、多くはない。満席にすらならない。

40分ほどで、空港線の終着駅カドルナ・アバルトに降り立つ。確認しておこう。只今は3月25日の7時頃である。駅前のバルが開いているので立ち寄る。もとより、ここしか開いてない。コーヒーを頼むと食券を買えと言われる。言われるままに店内の対角線上にある宝くじ売場のようなカウンターで1ユーロのコーヒー券を買って戻ってバーテンに手渡し、コーヒーを淹れてもらう。これはどうなっているのか。バーテンに1ユーロ払ってはならぬのか。雇用創出の一環なのだろうか。奇妙な分業である。バーテンはお金に触れてはならぬのか。

出されたコーヒーはエスプレッソだったが、僕がこれまで世界で飲んだどのコーヒーよりも少なかった。カップにチョロっと注がれたそれは、苦かった。

この街に来たら、行きたいと思っていた書店がある。だがおそらくは早すぎるだろう。

街には路面電車が走っていて、石造りの建築物が今もアパートとして現役であるような街並みである。

カドルナ・アバルト駅からほど近いスフォルツェスコ城に、まずは行ってみる。18世紀にナポレオンが破壊し、16世紀にはレオナルド・ダ・ヴィンチが壁画を描いたという、築６００年近い古城である。スフォルツェスコ家の前の持ち主はヴィスコンティ家である。映画監督のルキノ・ヴィスコンティは傍系だがその末裔である。

城はもう開いているのか、あるいは閉まることなどないのか、警備している兵隊だか警官だかも、のんびりしている。ここは日本でいうと稚内と同じ緯度らしいが、只今でいうと稚内の方が、おそらくは寒い。

城壁内は、周辺住民のジョギングコースになっており、あるいは早起きの観光客がすでに散策し始めている。

ベンチに座り、というのも先に立ち寄ったコーヒー屋は立ち飲みなのであり、しかもカップにチョロリと注がれたそれは気付け用なのか、一口分しかなかった。一瞬で一口あおって出て行くものであり、コーヒー一杯でねばるという喫茶スタイルは通用しないのだった。

ベンチに座り、きのう一日を振り返り、きょう一日のおおよその計画を立てる。だが、きのう一日などは繰り返し繰り返し振り返り後悔しているので、もう思い返したくもない。

きょうは、スフォルツェスコ城からほど近い Libreria del Mondo Offeso に行こうと思う。この小さな書店をどうやって知ったかというと、偶然知ったとしか言いようがない。コルシア書店なき今、どちらかというと体制に抗う書店というのを探していて、たどり着いたと言っておこう。

街をぶらぶらと散策する。犬を連れた散歩者やジョギングする人もいて、このあたりは散策に実に適していることがわかる。散策に適さない通りや街というのがどういうのかというと、散歩者もジョガーもいず、建物の窓ガラスは格子で厳重に防御されてい

カフェもある。毛沢東もゲバラもいる書店

るのに落書きだらけかつ割れていて、紙くずが散乱していても誰も掃除しないような通りの片隅に顔面から血を流した酔っ払いだか薬物乱用者がぶっ倒れているような、そんな通りだ。

ここはそんなのとは無縁で、しかもイタリアというのにそれなりに早起きの街らしい。そしてヨーロッパらしく、自転車が街の足として大いに活用されている。それと市電。

重厚な街並みだが落書きがないかというと大いにある。どれもが可愛らしくもメッセージ性に富んでいてアーティスティックですらある。例えば歩道にある信号機の配電盤、これが古びてシミだらけであるとすると、そのシミを人物の顔のように描き出すという具合に。ミラノ・コレクションに代表されるようにファッションの街と称されるミラノは、確かにデザインやアートのクオリティが並大抵ではない。多様な上に多重なバックボーンが、そ

ちょこっと乗るのにちょうどいい路面電車

れらを支えているのだろう。

やっと開いたLibreria del Mondo Offesoでも珈琲を頼む。実は、ここに来る前、バルのあとにも街を歩くついでに珈琲屋に立ち寄っているので、午前中にすでに3杯目の珈琲を喫していることになる。珈琲なんて好きで毎日飲んでいるのであるし、2、3杯飲むことも珍しくはない。珈琲店と珈琲店を繋ぐ散歩。それもまた旅といえるのかもしれないな。

ここは、チェ・ゲバラと毛沢東の記念写真が飾ってあったりする、ずいぶんと変わった本屋だ。1970年代に一世を風靡したユーロ・コミュニズムの中心というか先頭にいたイタリアでも、コミュニストたちはそれをやめて左翼民主党に衣替えし、挙句にさらに民主党と看板を掛け替え、今ではすっかり中道である。そ

千年前からの街並みなのかどうか、街全体が実に絵になる

のうちの真の共産主義者はどこに行ったのかというと、イタリアの中でもボローニャとかローマとか、南の息がかかったところに細々と集っているのではないかと思う。ミラノのような北部の金持ち町では分が悪かろうと思う。それでこういう本屋に細々と集うことになるのか。

書店というところは、出版物を商っている。その出版物は出版社が作っている。専門書店というのがあり、その専門書を手に取るためにその筋の方が訪れる。書店というところには読者、つまり本を買う人が集まるところである。出版社には読者は集まらないのであって、編集者がいて著者が集まるところなのである。

日本では、読書が今よりももっとワクワクする営みであった頃には、書店というところはもっとワクワクできる場所だったように思う。出版が斜陽産業と言われて久しく、書店は次々と姿を消している。かわって現れたのは、新刊も扱うし古書も扱う、珈琲も出してギャラリーもあるセレクトショップのような書店である。書店は、そうでなくては生き残れない業態になった。イタリアが出版不況なのかどうかは知らないが、Libreria del Mondo Offeso はそういった店なのだろうか。

開店早々は、カフェのウェイトレスが一人で店番をしていたが、そのうち本屋の方の主人らしき女性が出勤してきた。もうお昼近い。こういう本屋に出会うと原稿を書く稼業に書店の主人《あるじ》という肩書きも加えたいと思ったりする。だが、それもいっときのことで、街を歩いているうちに忘却した。

1週間で世界一周なんて疲れたよ。疲れて旅先の本屋に癒され、本屋になりたいと願望するのか。深夜に北京を発ったからには、今は7日間世界一周の2日目に当たるのだろうか。時差と日付変更線、どうにも世界一周というのは日付の観念が追いつかないのだった。

ミラノは何とはなしにそわそわしていた。というのも、ローマ教皇が来るというのである。それも今日だという。

カトリック国のイタリア人にとって、ローマ教皇は熱狂的に歓迎すべき対象なのだろうか。それとも、ローマに行けばいる人なのであって、珍しくもない同国人（現在の教皇はアルゼンチン人ではあるが）なのだろうか。中南米あたりに歴訪すると、教皇の姿を一目見ようと群衆が押し寄せるイメージがあるが、ここではどうなのか。

教皇がパレードするのかどうか、道路は柵が巡らされ、警官や交通整理のボランティアが立ち始めた。朝はかなり涼しかったが、

早朝から、そわそわする人はそわそわするミラノ

気温は上昇。暑いほどである。

Libreria del Mondo Offeso を出て、街を散策。ここがイタリアである以上、スパゲティー・カルボナーラを食すのだ。

食堂に入って、ワインも一杯注文する。

白ワインは、イタリアでなければ飲めないものでもないが、実に甘ったるい味わい。スパゲティーはというと、よく茹で上がっているというか、茹ですぎではないのだろうかという疑念が生じるほどだ。カルボナーラのソースはというと、あっさりとしたものであった。

全体的な印象は、ひとことで言って、不味い。かと言って安いわけではない。駅前の繁盛店と思って入ったが、がっかりしなかったといえば嘘になる。

しかし、僕はイタリアでパスタを食したのだ。イタリアでしか

ミラノ式あっさりカルボナーラと甘ったるいワイン

得られない経験だ、と思うことにしよう。

教皇のパレードに興味はなかったが、駅前の食堂を出る頃にはもう彼は去っていた。沿道の柵はさっさと撤去されるのではなく、教皇を見た人たちもだらだらとその辺にたむろっている。だが、教皇を見に来た人たち以外、つまり一般の観光客もいるのがミラノなのである。

メルカート通りがプロレット通りと名前が変わるあたりをさらに南下して、巨大アーケードのガレリアとかドゥオーモ広場をうろうろする。どちらも何百年も前にできていたはずだが、どれもスケールが超弩級なのである。建物の塔頂を高くするのは、神に近づきたいという願望でもあったのだろうと推測できるが、ここまで大きく遠くする必要があったのかと少々いぶかしく思う。人口も少なければ、モータリゼーションもなかった頃なのだ。

ガレリアは石造りのビル同士をアーケードで繋いだ商店街なのであり、壮観だ。街並みがアーティスティックで、個々の建築物がそれぞれに実に存在感がある。それでいて妙に自己主張しあうことなく、全体が調和している。歩いている人々も東京のようなイキんだ感じがない。それはここが首都ではないからなのだろうか。

教皇カラー、それは黄色とか黄緑なのだが、その色のスカーフを巻いた人たちがガレリアやドゥオーモにも溢れている。彼らは教皇を見たのだろうか。観光地を離れた青空市場あたりにはそんなスカーフを巻いた人はいず、その日の商いや仕入れに勤しむ人ばかりだ。

市場というところは、活気がある反面、スリなどが暗躍する場であるのは世界共通なので最低限の警戒心をもって歩く。何しろ僕は、全荷物を持ち歩く男だ。ひったくりに盗まれれば、それは全財産を失うことを意味する。

いや、もちろん金銭とパスポートはシークレット腹巻に仕込んであるので、ちょっとやそっとでは奪われようがないが、上級のスリはそこにそれがあることも承知している。僕は以前、マニラのＬＲＴ（高架電車）でＴシャツの下のシークレット巾着を刃物で裂かれて中の有り金全部を盗まれたことがあるという、一文無し経験者だ。宿でシャワーを浴びようとするまで気がつかなかったのは、マニラのＬＲＴで居眠りでもするという絶体絶命な愚をしでかしたからなのかどうか、今もって結論が出ないのだが。

ミラノでは、昼食でのワイン一杯が許容できる限界であるから酒は呑まない。僕はここからモロッコのカサブランカに飛ぶので、酔っぱらってなんぞいられない。カサブランカで一夜だけを過ごして、さらに早朝にはスペインに飛ぶのであった。スペインに何か世界一周上の目的があるわけではない。コロンビアに飛ぶのに航空券が多少安いというだけでマドリードに飛ぶのであって、空港ではトランジットするだけだ。

ミラノ駅に歩いて戻り、空港行きの切符を買う。この時、往復チケットの方が片道より安かったことに気づくが手遅れだ。出発というのに、ホームではベルも鳴らない。ベルって、世界のどこでも鳴るのかな。そうでもなさそうだ。

イタリアは往往にして、バスや列車や飛行機やホテルが、つまり観光にまつわる全てがストで止まると聞いたことがあるが、そんなのは80年代までのことなのかもしれない。そんなに戦闘的で対決的な雰囲気というのは痕跡すら感じられない。さっきの反体制の本屋ですら、ややお洒落なカフェだったと言えなくもないくらいだ。

朝霧の中を郊外から上った線路を、午後に下る。のどかな午後である。市街地から、次第に家々もまばらになり、畑になる。

空港は、早朝に着いたときにはモダンさに感心したが、それほどでもない。だが、一隅にカプセルホテルのような、まあカプセルが据え付けられている。それはまさにカプセルホテルなのだった。1時間いくらで借りられて、出発まで居眠りでも休憩でもできるのだという。僕が借りるかというと、借りるわけがない。ここでこんな密閉された空間に滞在したら、寝落ちして搭乗時刻を寝過ごすのは必定。あるいは明日まで起きないかもしれないではないか。

空港備え付けのカプセル・ホテル

したがって、空港では珈琲でも飲んで過ごすことになる。旅とは珈琲と酒で成り立っている。ごはんを食べ続けることはできないが、酒を飲み続けることはありえなくもないし、珈琲はこれこのように、飲まざるをえないのだった。

2017年3月25日

4日目

Casablanca

モロッコ・カサブランカ

ここからは、モロッコ王室航空の飛行機に乗る。ヨーロッパや地中海上を格安航空会社が縦横に飛んでおり、便数も多く値段も安い。国際線だというのに早めの予約だと千円ぐらいで済んでしまう。バス賃程度の飛行機代なのである。その代わり、出発前日ぐらいには何倍にもなっている。市場原理の権化、変動相場制なのだった。

カサブランカのムハンマド5世国際空港までは、3時間とちょっと。軽い機内食も出る。LCCだと水も出ないことが多い。LCCではそのかわり、水から飲料、食事に至るまで有料で提供するのである。モロッコ王室航空はLCCではないが、それらグローバル企業との競争にさらされて値下げはせざるを得ず、かといって機内食を削るわけにもいかないのだった。

ミラノからカサブランカに行くのはどんな人か。北京からミラ

モロッコ王室航空ミラノ—カサブランカ便の機内食

ノへの便に乗った時点で日本との関わりはかなり薄れたが、ミラノ行きの日本のサッカー少年団のような子どもたちがなぜか北京から何人も乗り込んでいて、ガチャガチャと騒いでいたのだった。だがミラノからカサブランカの、もうここまで来ると、日本との関わりはほぼ切れる。とはいえたいていの便に一人二人は乗っている日本人。日本人というのはそんな存在なのである。

旅先で日本人に会うのが心底イヤだという人は多い。一方で、旅先で日本人とばかりツルんでいる日本人もまた、多い。19世紀フランスの作家、スタンダールもまた旅先で自国人と出くわすのを心底嫌ったというから、それは何も日本人の偏狭さを物語るものではないらしいが、この、旅先自国人遭遇問題については、観光学科の先生たちがいずれ解明してくれないかな、と思う。僕も非日常を求めて旅に出ているのに、何で旅先でまで日本人とばかり出くわすのかと思ったこともある。むろん、相手も思ったかもしれない。

モロッコという、とりわけカサブランカという町については、むろん「カサブランカ」という映画以上の知識がない。だが、ガイドブックによると、モロッコの首都ではないらしい。商業都市としての世俗的な町になっているというのである。つまり、土色の家々が並び、ジュラバだとかいうゾロっとした衣装を着た人たちが日がな一日、水パイプを咥えて茶を飲んでいるような町ではないらしい。いま機内にいる人にはそんなゾロっとした服の男もいるが、まったく西洋風の女もいる。イスラム圏の保守派は特に女性に厳しそうだが、まあ商都でもあるカサブランカというところは、それほどでもないということか。

カサブランカ、スペイン語だとホワイトハウスという意味になることの街は、スペインに占領されたこともあるのだろう。映画「カサブランカ」ではフランスの植民地、ナチス傀儡政権ビシー政府の警察署長が取り仕切る町として描かれている。いろいろと過去のある主人公、ハンフリー・ボガートは、レジスタンスのメンバーでもあるらしい。偶然再会したかつての恋人イングリッド・バーグマンは、今では対独抵抗運動の指導者の妻におさまっていた。そして……と。

飛行機はしばらく地中海沿いのヨーロッパ側を飛び、日が沈む頃、おそらくはジブラルタル海峡上空あたりでアフリカ側にジャンプ。チュニジアとアルジェリアの上空は飛ばない航路なのかもしれない。あとは北アフリカをカサブランカに向けて下る。

ミラノを夕方に発ち、カサブランカには夜の始まりといった時刻に着く。空港には王様の写真がそここに飾られている。兵士が、あちらこちらにいるが、国際空港にしてはのんびりしたものだ。そういえばミラノ・マルペンサ空港も、ヨーロッパの国際空港としてはかなりののんびり屋ではないのか。こんなにひっきりなしにヨーロッパ中でテロが起きているのに、起きてしまったら仕方がない、起きないようにしようがないとでも思っているのだろうか。中国の、極限までのピリピリ感とはかなり隔絶されている。

モロッコの入国審査はとてもだらだらしていた。そもそも、行列をさばく係がいない。同じ便で来た初老の中国人夫婦は、入国審査カウンターにやっと行き着いたところで、列が違うと追い返されている。かわいそうに。土地柄というのか、列の前方にいる人たちのところに、ひっきりなしに入れてもらう人たちが後を絶たない。友人とか、同郷とか、そんなにみんな友達なのかと不思議に思うが、なぜか列をショートカットする人が後から後から入り込んでくるので、列がなかなか進まない。

やっとの思いで入国審査を済ませ、空港の外に出る。そこここにヤシの木が繁る白い空港ビルは、白い家《カサブランカ》空港のイメージにぴったりだった。

駅からカサブランカ市内までは列車で行くつもりで駅を探すが、なかなか行きあたらない。タクシーの運転手ばかりがひっきりなしに声をかけてくるのは仕方がないとしても、空港に隣接するはずの駅が見当たらないとはどういうことか。

駅は、実は空港の地下とでもいうべきところにあるのであって、空港ビルからエレベーターを下って行くのであった。となると、一旦出た空港にもう一度入らねばならず、出口はいくつもあるのに入口はひとつしかないムハンマド5世空港の、遠くの入口からまた入り直すはめになるのだった。入り直すときに、金属探知機

昼間の表情はついぞまみえず。カサブランカ国際空港

と身体検査ぐらいはこののんびり屋の国際空港でも通過しなければならなかった。実に面倒だった。

そして、地下駅に入るときにもまた金属探知機に入る。駅の係官は、コンニチワとかトーキョー?とかしきりに話しかけてくるが、女子旅じゃあるまいし、いちいち「わー、日本語うまーい」というような反応をするつもりはない。

駅を探して彷徨ううちに、カサブランカ行きの列車を逃す。次の列車は一時間後である。やれやれ。1時間もあるので、通路を逆流していったん空港側に戻る。

空港にその名を冠しているムハンマド5世は1950年代にフランス植民地からの独立を果たした英雄だが、独立から間もなく崩御し、子のハサン2世が独裁を敷いた。現在の国王はさらにその子のムハンマド6世で、全てのモロッコ・ディルハム紙幣に肖像が載っているところは中国の毛沢東のようだが、この国では生きている人をお金に載せているのである。イスラム教では多くの妻を持つことも許されるところを、一夫一婦制を維持するやや世俗派でもあるらしい。

空港を散策すると、兵士の姿は目立つ。欧米のレンタカー会社が軒を連ね、ＡＴＭもある。木造の空港ビルに扇風機が回っているのを想像していたわけではないが、思っていたイメージと違ったのも事実である。いったん空港側に来ると、駅に行くにはまた金属探知機を通る。日本語の単語を言う係官は交代したのかすでにいなかった。

ここは、かつては砂漠の町だったのかもしれない。昼は相当に気温が上がるのかもしれない当地の夜は、寒かった。僕は売店で水のボトルを買って、列車を待った。

モロッコ鉄道空港線のカサブランカ行きはカサ＝ヴォワヤージュ駅に着く。カサはスペイン語で家という意味だし、ヴォワヤージュはフランス語でツーリストという意味で、どうなっているのか。フランス植民地あがりなのだからメゾン・ヴォワヤージュでどうかとも思うし、モロッコの言葉に戻すのが当たり前だが、そうもしなかったとは。列車は、イタリアの空港線とはどこが違うと言えないほど、つまり南欧の鉄道と見分けがつかないほどモダンな車両だ。

終着駅は、暗かった。ホームには照明というものが極端に少なく、遠くの投光器から漏れてくる灯りを頼りに歩く。足元は真っ暗というのに近い。真っ暗な中に、列車を待っているのか、うずくまるようにまだたくさんの人がいる。必然的に、警戒心でドキドキするが、その人たちはもちろん列車を待っているだけだった。

カサブランカとカサ＝ヴォワヤージュ駅をつなぐモロッコ鉄道

駅は、駅前が公園になっており、それなりに美しく、市中のランドマークではあるらしいが、閑散としていた。雰囲気としては、シーズンオフの温泉地という感慨を僕は得た。のんびりというか、まったりというか、だらっとというか。まあ一日はもう終わったのであり、だらだらと店じまいをしている街であった。駅前は、すでに灯が消えた感が横溢している。

僕が予約した宿は、駅から歩いて行けるのか。

それは、行けるようでもあるし、ちょっと遠いようでもある。

北アフリカの街で、無防備に歩き出していいのかどうなのか、少しの間、迷った。その間も、タクシーの運転手の何人かはアプローチをかけてくるが、控えめであった。

歩こうと決めて、まずは駅前のホテルのベルボーイに宿の名を言って道を尋ねる。知らないらしい。フロントで聞けというので、

夜のカサブランカ市街

フロントで聞く。フロントの老人は、「メヂナ！　メヂナ！」と連呼した。下町というか旧市街というようなエリアなのだろう。「タクシーか」と聞くと「タクシー、タクシー」とも連呼する。歩かないお国柄の土地は、ごく近距離でもタクシーを使わせるが、ここもそうなのかどうか。あるいは、ある種の危険地帯を経なければ行けない場所ということもありうるが、どうか。僕は駅前まで引き返し、タクシーを拾うことにした。

当地のタクシーはメーター制。だが、カサブランカのごく短い滞在中、ついぞメーターを正当に使ってくれたタクシーはなかった。駅前からホテル・セントラルまで、運転手は40ディルハム（約440円）と言った。付け加えて、「グッドプライス」とも。自分で言って自分で肯定。そんなの信じはしないが、このときこの空間では、セカンドオピニオンというのが得られない。自分の財布と相談して、乗るか乗らないかしかない。

　このとき、タクシーに乗るべき距離だったのかどうかというと、それは乗るべきだったようだ。しかも、運転手は宿の場所を知らない。信号待ちの度に、運転手が運転席を離れてほかのタクシーに声をかけて訊くと、相手の運転手も知らない。そしてまた次の信号待ちでも別の運転手に訊く。次々に声をかけてやっと突き止め、それで辿りついたのだった。タクシーの運転手同士の、この情報交換制度はカサブランカでは一般的らしく、信号待ちになるとタクシーの運転手は皆やっていた。

　メヂナ。メディナというよりメヂナと表記した方が正確に思える。モロッコの旧市街の総称で、よそ者は一度入り込んだら必ず迷う、と言われている。侵入を防ぐ目的で迷路のように設計され、隠し扉や抜け道もいくつもあるのだろう。

実にカッチリと閉ざされたメヂナの街路。雑踏でも危なっかしいが、深夜となるともっと怪しい

メヂナの中というのは、本当に閉鎖的な立地だ。閉じたエリアの中に狭い路地が張り巡らされ、駅前の閑散さとは裏腹に、この時刻まで人通りが絶えない。だが、そこに子供や女性の姿は少ない、というか絶無なのであって、アジア人が単独で深夜に歩き回れるかというと、その限りではない。そのとき僕が思ったのは、まったく痕跡を残さずに人ひとりの身柄を消し去ることなどたやすいな、ということだ。このときは僕の身柄をということを思ったのだった。

宿は、メヂナの外れにあった、外れといってもメヂナの中である。隣接して広場がある。広場では、夜だというのに少年たちがサッカーに興じていた。

おそらくオーナーではないフロントマンは、アフリカ服を着ていた。会話の随所でおどけたような顔をし、だが必要以上に分け入ってくるようなクドさはなく、長逗留すればちょっとしたワルさも教えてくれることになるだろう親しみやすさがあったが、どの道、こちらは超短期滞在である。

宿でシャワーを浴びる。幸いにしてシャワーはお湯が出た。この程度の宿がどの程度のレベルかというのは、泊まってみないとわからない。シャワーでお湯が出ない、ベッドが不快、従業員が不親切などというのは、値段だけの問題ではなく、気持ちの問題でもある。

寝坊して出発してから約48時間が経っている。まだ48時間しか経ってないと見るか、あるいはもう48時間も経ったかと感じるかが、頭の中で綱引きをしている。身体は、相当に酷使されている。今夜の目覚ましは、四重くらい、つまり5分おきに4回設定しておくことにしよう。明日も寝坊したらという恐怖心はもちろん生

セントラルホテルの室内。調度も窓から見える景観も甲斐のない短かすぎる滞在

じている。

宿を出て試しに路地をひと歩きしてみて、また戻ってくる。メヂナの店も、もうほとんど閉じる時刻で、賑やかそうな人波も、人出というより家路を急いでいた。人懐っこいのか何か企んでいるのか、こちらをアジア系と見るや、声をかけてくる男がいる。同じ男が戻る道でも同じことを言う。とにかく道幅が狭く、すれ違う人との距離感が取れないこのような場所での自由すぎる単独行動は、ひとまずやめておくか。

メヂナの中を歩かないで、どう街を散策するかというと、メヂナの外側を歩くのである。宿はメヂナと外界のちょうど境目にあり、ひょいと外界に抜け出ることができる。外界は、むしろ人通りがめったになく、車ばかりが走っている。

ちょうど降車中のタクシーを止めて、乗せてもらう。運賃はメーターだという。おおメーターの明朗会計かと喜んだが、実はこの時点ですでに僕は騙されている。どういうカラクリかというと、人が降りて料金を払ったというのに、この運ちゃんはメーターをリセットしていない。つまり、どこか遠くから乗ってきて積算されたメーターに僕の乗り分を足して支払うことに、このしばらくのちに、僕はなるのだった。さすが商都カサブランカ。植民地経験のある土地は一筋縄ではいかない。抵抗や反抗、報復、よそ者からは搾り取ってなんぼ、といったことが日常の中に紛れ込んでいるのだった。

料金問題はそのように不明朗だったが、僕の行き先というのがそもそも不明瞭なのである。どこに行きたいという訳でもなくタクシーに乗り、ちょっと街を流してくれるかというような注文である。運ちゃんは発車し、僕は窓の外を眺めて、とにかく一杯呑む場所を探して彷徨った。

市街はすでに真夜中といった時間帯であり、八百屋やパン屋などが開いている時刻ではない。カフェや定食屋も開いてない。もとより行くつもりはないが、市街に6軒もあるスターバックス・コーヒーも当然閉まっている。モロッコというのに、街では中華ぐらいしか開いていない。いやしかし、中華かと思ったのはベトナム料理屋であった。でも本当にベトナム料理屋かどうかは保証の限りではない。いずれにせよ、ここ以外にはないのだ。現地のメシが不味い土地では、まともなものを食べたければ中華に行くのが定番だそうだが、ここでもそうなのか。世界一周なんだから地元のものを喰おうという原則が、ここでは守れそうもない。明日、空港で何か探そう。とりあえずは、目の前のものを喰う作戦であった。

店内は赤を基調とし、照明がそれを反映するので、開け放したドアの外まで赤々しい灯りが漏れて怪しさを醸していた。やはり、赤い灯りというのは独特のドキドキ感を演出するのに役立つ。ドアのところにいるドアマンでもなくレジ係でもないような男の存在も含めて。

ひとりだけど入れるかというような身振りをして席に着く。先客がいるには、いる。モロッコビールとベトナム風オムレツを頼む。ビールを少し飲んでもクラッとくるのは疲労と睡眠不足のせいだ。ベトナム風オムレツは、スパニッシュオムレツと大差なく、とはいえボリュームはアジアンサイズよりは多すぎた。旅と酒は永遠のテーマだが、ここでは腹ごしらえというか空腹を満たせば良しとするしかないのか。

映画「カサブランカ」は戦中の１９４２年作。描かれた街並は

モロッコ風ベトナム・オムレツ

当然セットで、きょう出会うのは無理だ。

人っこひとり歩いていない通りを、少し散策してみる。繁華街は別の場所にあるのか、前を見ても、振り返っても、誰も歩いていない。誰もいないから安全だというのは誤解すぎるほどの誤解であり、軒先で老若男女がだらりとダベっているような光景がいちばん大事である。深夜なればそれはかなわないが、誰もいないというのは本当に誰もいないか、あるいは見えないところからこちらを窺っているか、どちらかなのである。

北アフリカで、夜通し開いている酒場というのはそんなにはないのだろう。水煙草《シーシャ》の店というのに行き合うが、こちらの人は酒を飲まずにシーシャをやるのであって、ここは酒なんか置いてないという。

モロッコ・ビールで少しは覚醒したものの、眠気がぶり返してきた。

眠るためだけにモロッコに来たわけではないのだったが、眠いものは仕方がない。僕は、タクシーを拾って宿に帰った。宿に向かいながら、さっきのタクシーが雲助だったことを知る。

横になると、ほぼ瞬時にして眠りについた、らしい。明日も寝坊したらという恐怖心は、すでになかった。

iPhoneの目覚ましを幾重にも掛ける。起きるべき時刻というだけでなく、その時刻ではもはや手遅れかもしれないというような時刻にもアラームを設定する。それが国際線に寝坊で乗り遅れた男の義務であった。

北アフリカ人はおそらくは夜更かし。あるいは早起き。どのみち、自分の欲求に基づくのではなく起きたり眠ったりするのではないか。ラマダンともなれば絶食なのであり、それが明ければ、夜っぴて宴なのではないか。そんな浅い知識で当地を見れば、この人たちは睡眠時間を自由自在に増減できる、タフな睡眠者に他ならないが、どうか。

午前7時50分のカサブランカ・ムハンマド5世国際空港発、モロッコ王室航空機でマドリードへ。そのためには2時間前には空港へ入る。だが、それは理想であって、僕の理解では国際線は1時間前で大丈夫だ。数時間前に通ったルートを逆走してカサ＝ヴォワヤージュ駅から空港までは約30分。便利なことに、便は5時13分、次いで6時13分があることがわかっている。

4時頃から目覚ましを鳴らし始めると、緊張からか目覚めは早い。だが、疲れているのであり、寝起きは悪い。4時半にはなんとか身を起こし、やっとこさ立ち上がり、身支度をする。暗い館内を伝い歩きをして階下に降り、フロントに立つ。

フロントに深夜も灯りがあり、フロントマンが寝ずの番をするような宿でないことは承知している。真っ暗なロビーに目を凝らしてみると、彼はソファで毛布にくるまって寝ていた。当直のスタッフがソファで寝ているような宿に、いくつ泊まってきただろう。深夜にそんな宿に着いて、何回スタッフを起こしてきただろう。つまり、僕にはちょうど良いクラスの宿ということなのだろう。

小声で起こす。

「ああ、日本人」。この人、本当に気の優しい親切な北アフリカ人である。何でも来いというような度量の広さと、相手を安心させる会話術というのが身体に染みている。短い対話だけで相手に安心感を与えることなんて、誰にでもできることではないが、この人はできていた。

「何だ、もう行くのか」とすら言わずに、「ああ、行くんだね」というような面持ちで、ゆったりとドアを開けて、僕を送り出す。

その場で切り出された市税《シティ・タックス》 8ディルハム（約90円）は、正当なものか、あるいはフロントマンのポケットに入るのか、僕にはわからない。後者だとしたら、それは北アフリカらしいということになるし、前者だとしたら、北アフリカらしさにはついぞ出会わなかったことになる、のだろうか。僕はちょうどいい駄賃ていどの額から、後者だと睨んだが。帰国後に調べると、宿泊税は実在した。公定だと21ディルハムだった。値引きしてくれたのかな。

寒い。日中の蒸し暑さが次第に冷えていった宵の口とは違って、冷え冷えとした寒々しさがある早朝。そう、ここは砂漠の街なのだ。昼に温められ、夜からまた冷え始め、朝にはすっかり冷え切る。

乾燥した寒気のなかを、宿からすぐのメヂナの境界、それはつまり大通りへの階段ということだったが、それを降りる。

早朝の大通りに車は少ない。駅へ向けて歩きながら、何度か手をあげる。何台目かにタクシーは止まり、そこにはまたしても誰かが乗っていたのだった。相乗りすることになる。英語とスペイン語で駅と言い、それを相乗り相手がドライバーに伝え、料金交渉。この短時間に4回もタクシーに乗ったのに、メーターを正当に使用するドライバーにはついぞお目にかからなかった。それが夜のカサブランカというものなのかもしれないな。

カサ＝ヴォワヤージュ駅は始発に合わせて開場するらしく、まだ閉まっていた。駅前のカフェはこの、駅も開いてないほどの早朝というのに、開店準備に余念がない。

モロッコで食べたのはモロッコ料理ではなかった。旅先では現地のものを食べるべきという、7日間世界一周ルールから外れるではないかと思ったが、空港でチェックインしてからでもレスト

未明のカサ＝ヴォワヤージュ駅。猫がいた。アフリカの猫だ

ラングらいあるだろう。

モロッコ鉄道の車両は、ミラノのそれと酷似していたが、窓は汚れていて、まだ明けていない朝の風景は見えなかった。

カサブランカからマドリードまでは、1時間50分程度のフライトである。日本でなら、おおむね羽田から福岡空港までの所要時間に等しい。

モロッコ王室航空のチェックインカウンターには長蛇の列ができている。先進国と途上国とを問わず、行列が機能しない国というのはあるもので、モロッコは機能しない国のひとつだった。行列なんて、米国だってカナダだって機能しないのだから、どうこう言っても仕方ない。苦手なものは苦手なのだろう。

荷物を運ぶカートに腰掛けて、放心したように呆けている若い女性がいた。空港というところは、しかもアフリカからヨーロッパへの玄関口というような空港は、さまざまなドラマがある。不法な出入国はあるし、その寸前で飛行機を降ろされるような人もいる。犯罪者もいる。麻薬もあれば、人身売買もあるだろう。チェックインを待っているこの女性は、何でまたこんなにも疲れ切ったような表情なのか。本当に疲れているのか、それとも何かの犯罪に巻き込まれているのでは……。差し出がましいようだが、いろいろと思いを巡らせたのであった。

新旧ないまぜのカサブランカにあって、空港はどちらかというとやや古臭い。それもチェックインまでは。チェックインし、出国カウンターを出ると、北アフリカの観光都市は全力でお金を使わせようとする。ライトの照度も、50パーセントくらいは高いように見えるし、出発ロビーのデザイン自体が洒落ている。地上がまさに地上であり、出発ロビーが雲の上のような錯覚に陥って、ここでこそ出発客はお金を使うのだろうか。

早朝便だが、キオスクのような店舗はどこも開いている。市内に6軒ほどあるスターバックス・コーヒーは空港にもあるが、僕としてもモロッコでスタバに入るセンスはない。

カサブランカ市内ではお目にかかれないようなモダンな売店で、ピロシキのようなアラビアパンを買う。

晴れて、これで現地のものを喰った、ことになるのだろうか。

モロッコ王室航空は、昨夕ミラノから当地まで飛んだ航空会社である。昨日の夜の、今日の朝で、もう乗っているのである。2時間弱の朝のフライトでは、食事は出ない。場合によっては2、3千円で飛べるルートである。ヨーロッパ系のライアン航空、イ

カサブランカ空港の出国カウンターを過ぎて購入。アラビアパン

ージー・ジェット、エア・ヨーロッパに当地のモロッコ王室航空などが過当競争を繰り広げ、バス賃ていどの運賃になっている。そうなると水さえも出なくて当たり前だ。

避難経路や酸素マスクの使い方を説明するのも、当機では人間がやる。日本のキャビン・アテンダントの間ではこれをタコ踊りと称するらしく、つまりはタコ踊りは人に見られたくはないということだろう。この様子をカメラで撮ると、踊り終わった男性のアテンダントが僕のところにやってきて言った。

「画像を消せ」

「ああ、わかった」

「今、すぐに」

「はい」

「サンキュー」

これには、有無を言わせぬ迫力があった。

マドリードは経由地であって、僕は空港の外にも出ない。なぜ出ないかというと、時間がないからである。当地にトランジットしてコロンビアのボゴタを目指すのである。カサブランカからなぜ直接ボゴタを目指さなかったのかというと、一旦マドリードを経由した方が、少し安いのだった。寝坊して10万円以上の支出を余儀なくされる前の段階には、このように涙ぐましい倹約があったことに呆れるほかなかったが、このときはもちろん、「考えないことにする」モードが発動していたのだった。

カサブランカと南米を繋ぐ空路がないかというと、ブラジルやペルーをはじめ、あるにはあるが、直行便というのはなかなかないのが現状である。大半がヨーロッパを経由すると思って間違いない。ブラジルに行くなら、旧宗主国ポルトガルを経由してポルトガル航空で、そしてペルーなどへは旧宗主国スペインを経由してエア・ヨーロッパやイベリア航空で、行ける。アルゼンチンあたりのディープな南米だと、北米を経由して日本に戻るのは予算的にも大変になってくるし、大回りであるぶん、時間的にも余裕がなくなってくる。さらに、南米から北米への繋がりやすさも考慮すると、アフリカと南米を繋ぐルートというのもおのずと限られてくるのである。

五大陸の点と点を一本の線で結んでいくように見えながら、一本の線は前後の点から伸びてきて伸びていく。五本の線を引き終えて、最後に、今回は北米から日本への帰国であるが、線が繋がったとき、その6本の線は実に微妙なあやとりのようになっているのであった。

カサブランカから直接南米を目指すのではなく、一旦スペインに降り、そこから別のチケットで南米を目指した方が、少なくとも予算上は少なくてすんだ。

トランジットというのはせいぜい数時間となる。マドリードの着陸時刻と、ボゴタ行きの出発時刻を差し引くと4時間半ていどであった。2時間前にチェックインするのなら2時間半ていどとなる。そもそも北アフリカからヨーロッパに着いてスルスルと入国できるはずもなく、少しばかり時間がかかるとするならば、マドリードでの滞在時間は2時間弱となる。空港からマドリード市街へは40分ていど。往復80分とすると、地下鉄に乗ってマドリード市街を目指すのはなかなか難しい。得策とは言えまい。というわけで、今回の世界一周旅行でのヨーロッパ編でマドリードで行動することはなく、ミラノのみとなった次第だ。

当地の空港の正式名称は、アドルフォ・スアレス・マドリード＝バラハス空港と長ったらしい。バラハスは地名、アドルフォ・スアレスは１９７５年のフランコ死後、民主化なったスペインの、功績が大であったとされる首相で、２０１４年に彼の死後に空港の名に冠された。

第二次世界大戦をはさんで、実に40年間もファシストの将軍が君臨していたスペインである。フランコは廃止された王政を復古し、ファン・カルロス王子を後継者に指名する。指名された王子は、フランコの死後、上からの民主化を断行するのである。したがって、スペインの左翼は王様が好きである。

この国の首都に空港がひとつしかないというのはやや驚きである。トレホン・デ・アルドス空軍基地、カアート・ヴィエントス

EL MUNDO

DOMINGO

El Gobierno prepara escenarios para acercar a los presos de ETA

El Ejecutivo estudia hacer los primeros movimientos este verano, pero no quiere vincular su decisión a la negociación con el PNV ▶ Comenzará por trasladar a los presos enfermos

'Patria' no cala en Hernani

La Gestora del PSOE utiliza el Foro Político para atacar a Pedro Sánchez

Los 27 consagran en Roma la Europa de varias velocidades

La UE asume un modelo de integración «a distintos ritmos y con distinta intensidad» para desbloquear el proceso de construcción europea

De Monnet al 'Brexit' FELIPE SAHAGÚN

WiN.O

Comprometidas contra el cáncer

本日付スペイン紙エル・ムンド

バラハス国際空港。キオスクでビールを買った

空港というのがあることになっているが、国際空港ではない。隣国のポルトガル・リスボンですら３つはあるし、フランスともなれば、と思いきや２つである。そういう国々では、アジア・アフリカからの便を第二空港へ、欧米からの便を第一空港へ通す場合が多い。便利で大きい第一空港は駐機料も高く、Ｂ級航空会社では乗り入れられないという事情もあるのかもしれない。

時間の余裕もなく、都心へのアクセスを絶たれたからには、空港内で出発までを過ごさざるを得ない。マドリードからボゴタへは10時間のフライトである。

ここにたどり着くまで20時間は飛行機に乗っているが、実際のところ人体への影響はないのだろうか。もちろん宇宙飛行士などは、何百日も乗りっぱなしということはあるにしても、こちらは体調をモニターされ、センターのようなところで万全に管理されているわけでもなく、健康診断もない。血管や、心臓は？　帰ったら専門家に訊いてみるか。

専門家に訊いたわけではないが、結果からすると、僕の体調に影響はない。帰国後も変調はなかった。だが、エコノミークラス症候群というのもあって、一回のフライトで異常をきたし、あまつさえ死んでしまう人すらいるのであるから、体調には気をつけたいものである。気をつけるったって、どうやって。僕はボゴタへの10時間のフライトを前に、いっそ一杯やって時間を潰そうとしているのである。

空港の巨大さに比べると、30店しかない飲食店は貧弱と言わざるをえまい。日本食もあるし、バーもあるが、空港のそれである以上は値段は高そうだ。アラビアパンのピロシキをつまみに、ビールを1、2本飲めば、ボゴタへの出発時刻はすぐやってくる。

そういう風にできていた。

出発ロビーのカメラ屋に、渋谷の街頭を写したキヤノンのポスターが出ている。渋谷というところは、モダンでいながら妙にキッチュで可愛らしさも含んでいる、と日本人なら思うだろうが、へんてこりんな街だなあとヨーロッパ人からは見られているんだろうな。


世界での日本の立ち位置というのは、相対的な高さでいうと低まっている。そして今後いっそう中心から周縁へとこぼれ落ちていく。それは旅をしているとよくわかる。旅をしないドメスティックな人たちの一部で、日本スゲエというようなことを言い合う風潮があるらしいが、世界が見えないタコ壷の中で自己規定し合うことは笑止である。実際に見ることで低まってこぼれ落ちていることを実感する者は、自分たちだけで褒め合う風潮を嗤《わら》うことができる。

アラビアパンのピロシキは、わかってはいたことだが、冷たくてポロポロしていた。味をどうこう言えたレベルではなかった。熱いものは熱いうちに食すべき。モロッコには申し訳ないことをしたと思っている。

エア・ヨーロッパはスペインの航空会社。イベリア航空が同国のナショナル・フラッグ（国を代表する航空会社）だが、マジョルカ島を拠点にカナリア諸島などを飛んでいるのがエア・ヨーロッパだ。もちろん首都にも、世界各国にも飛んでいる。格安航空会社というわけではなく、まあスペインの二番手の航空会社ということになろうか。かつて植民地大国であった国のナショナル・

フラッグは、半ば義務的に、世界中の旧植民地に網の目のように路線を維持しなければならず、赤字がかさむのだという。そうでなくてもＬＣＣの台頭は、航空会社のシェアを劇的に変えた。日本の国内線より国際線の方が値段が安いカラクリは、そう簡単には説明がつかない。東京からソウルに飛んだ方が、博多に飛ぶより安い理由に、消費者がやっと気づき始めたのだろう。そして、日本でもバス賃程度で飛ぶ国内線が出始めたのは、古い談合市場が突破されたのだと理解されるだろう。かつてあった航空会社で今も安穏としているところは、むしろ少ないというわけだ。

そういうわけで、エア・ヨーロッパでは機内食はおそらくは出るだろうと思う。ＬＣＣの便では、機内食はお金を払って注文するのだったが。

2017年3月26日

5日目

Bogota

コロンビア・ボゴタ

マドリードからコロンビアまでは10時間。

ボゴタは、今回の旅で最大の緊張を強いられる都市である。

数十年にわたる政府軍と反政府ゲリラの死闘は、政府軍に対抗して創設されたゲリラに対して、さらに反ゲリラのような民兵組織を生み、泥沼化していった。また、南米から北米へ輸出される麻薬ビジネスとゲリラの支配地域がリンクすると、ゲリラは麻薬カルテルを庇護することで軍資金を得る。また麻薬カルテルが米主導で壊滅させられると、今度はゲリラが麻薬組織を運営したという。本当かな。チリで左翼政権にクーデターを仕掛けたピノチェトは、アジェンデ大統領の執務室から麻薬が見つかったと発表して、その正当性を貶めようとした。全く同じ発表を、パナマのオルテガ将軍を襲った米ＣＩＡも、した。

とはいえ、２０１７年になって最終的に和平が合意され、大統領はノーベル平和賞、ゲリラは合法政党として国政に参画することになった。

僕がボゴタを訪れたのは、そんな局面だ。もっとも危険な局面は去ったが、この諸派入り乱れての暴力合戦が治安を疲弊させたのはまぎれもない事実なのであり、そんな国の街かどが随分とくたびれているのを、僕はポルポト派がいたときのカンボジアなどで感じたことがある。

２０１７年６月には誰の仕業か爆弾騒動があった。これを交戦でなく騒動と呼ぶのは、和平が成立しているからである。コロンビア革命軍（ＦＡＲＣ）のほかにも和平に合意していない国民解放軍（ＥＬＮ）というゲリラもいるにいるのだが、影響力は少なそうであった。そうした巨砲主義ばかりでなく、銃を使った小競り合いや犯罪に巻き込まれて日本人旅行者が亡くなる事件を、僕も何度となく新聞などで目にした。放浪者のように旅慣れたバックパッカーが撃たれてもいる。ホールドアップには相手の顔を見ずに10ドル渡せ、ひったくりは追うななどの独り歩きのルールを心得ていて、危険地帯を嗅ぎ分ける嗅覚の発達した旅人がである。暴力的な雰囲気や、大量に出回った銃は何かと事件を引き起こす。

首都の玄関口はエルドラド国際空港。El Dorado＝黄金郷だなんて。起源は、大航海時代にスペインに伝わったアンデスの奥地に存在するとされた伝説上の土地である。当地といい黄金の島ジパングといい、彼らは買い付けに来るのではなく、奪いに来るのである。一攫千金を目論む乱暴者にばかり来られても困るのである。

空港には夜、着く。治安が心もとない地域に夜、着く。これには緊張する。そうでなくてもボゴタ市内へのアクセスは、事前に入念にチェックしたつもりではあるが。

空港のタクシーにしてからが、すでに雲助に違いないと見立てて、僕は可能な限り、公共交通機関を使って、宿の間近まで近く作戦を立てていた。空港から市内へは、モダンな（南米はなぜか知らないがモダンなデザインやシステムが好きである。みんな使いこなせてるのかな）、見たこともないような交通システムでまず市街へ出る。市街へ出たら、そこからバスか、情勢次第ではタクシーに乗ってもいい。

ボゴタは1991年から2000年まではサンタ・フェ・デ・ボゴタという名称だった

新交通システムの“駅”。線路のない電車というか、バスが走る鉄道というか

この新交通システム、見たことがないが、路面電車と鉄道とバスを足して3で割ったよう、と言えばいいのか。電力は電線から供給され、タイヤが回って進み、柵の中を走るのである。バス停よりは大きいプラットホーム付きの「駅」ごとに止まっていく。線路を敷いて整備する必要がないという点で路面電車より手軽なのだろうか。

この乗り物のチケットというのが、磁気カードである。だが、これを空港で売っているのは、その編をうろつく車掌のような人なのであって自販機などない。言わせてもらえれば、アンバランスなのである。

ヒメネスという停留所で降りる。しとしとと雨が降っている。ボゴタはボリビアのラパスとエクアドルのキトに次いで、南米でも三番目に標高の高い首都で、それはつまり世界で三番目に高いということを意味する。高地だが、寒くはなかった。

「うーむ」

降り立ってみると、これは唸らざるをえなかった。ある程度、人通りがあるなと安心して見ていた表通りの人影は、所在なげにうろついている女たち、だいたい売春をなりわいとする女性たちらしいのだ。ドア口に立つ、ひと目でそれとわかる露出過多で極彩色の服装の人、窓に肘をついて手持ち無沙汰にしている超厚化粧の人、ポックリのような靴でゆっくりゆっくり行ったり来たりを繰り返す人、物陰の花壇に腰掛けておしゃべりに余念がないふたり……。身体を張って仕事をしている人たちを値踏みするようなことはいけないが、言っておかなければなるまい。ひとことで言ってモンスターとでも言えそうないでたちである。

こちらに声をかけて来るようなことはない。また、彼女らを物色する男らの姿は少なく、商談が交わされている様子はない。雨で、時刻も早いからだろうか。いや、この分だと彼女らの路上行ったり来たりは昼間から続いていかねなった。言うまでもないが、こういう場所とは知らなかった。それならば商いに場所を提供する安ホテルが当地を中心に存在するはずだし、娼婦の出入りが自由な酒場も存在するだろう。

こういう悪場というかヤバ市ヤバ町を、僕は嫌いになれない。人間の業が渦巻く歓楽街の風景に溶け込んで一杯飲むのは、風情と心得る。

だがもちろん、今ここで呑み始めるほどのフットワークは備えていなかった。

ここが売春地帯のはずれなのかセンターなのかはわからない。ここがコロンビアであり、ボゴタであるからには、市中にいくつかこんな場所があるとみていいだろう。

タクシーを拾って宿の名前を言う。ドライバーは５千と言う（約２００円）。数ブロック走ってみると車窓からは、何人か街角の女たちの姿が見えて、次第に女たちの人口密度が薄まっていく。いちばん人影のまばらな辺りは、かなりの危険地帯だと言える。いちばん繁華だったのはやはりあの停留所である。

タクシーは、そのようなストリートを抜けて、坂を上がった場所で車を止めた。


ホテル・スイス。ホテルとはいえ、ホステルである。ホステルとはユースホステルのようなもので、基本はドミトリー形式で宿泊者はベッド一杯を占有する。ホテルの周辺は、歩いていくハメになった時のために、事前にグーグルマップで周到に画像を下見してある。周囲はホステル街と言ってよく、右も左もややヤバめである。放置されたボロ家然とした家屋が多いように見受ける。路上紙クズ散乱、ガラス窓割れなどが見受けられ、僕の想像の中では、いつギャングに襲われても不思議ではなさそうだった。

翌昼発つのだとしたら、では宿から出ないのかというと、それは出たい。だが夜のチェックインにはタクシーで横付けするしかない。初めての場所に行き着くとき、だいたいは臆病風が吹く。着いてひと巡りしてみると、意外と安心な街だということがわかる。だから実際に出かけるということは重要なのである。出かけずにネットで知ったつもりになる、ネットだけを信じる、その方が尊いと思い込むなど愚の骨頂である。

果たして、ホテル・スイスの場所をドライバーは知らなかった。あらゆる宿の場所を知っているドライバーなどいようはずもないが、それでも世界中のドライバーが何も知らない。知らなくてもやっていける。要は自由に使える車があるかどうかである。道は、訊けば教えてもらえるのだから。日本は、タクシー・ドライバーのプロ意識とスキルが比較的高い国のひとつに数えられるのではないか。途上国では、街を走っているのがタクシーばかりという光景も珍しくない。運賃だってそれほど高くないのに、タクシー同士の生存競争だけは熾烈だったりする。

みちみち宿の場所を訊き訊き、やっとのことでタクシーはホテル・スイスに着いた。５千と言ったのに、ドライバーは１万からのお釣りを３千しかよこさない。あんた５千って言ったよなと言ってても何かゴニョゴニョと言葉を濁す。お釣りを渡さないというカツアゲで、僕は80円を失ったのだった。

着いてみると意外な安全地帯だと思い知らさせたのは、この辺は周囲に博物館や政府の施設が点在しており、主要な街角ごとに兵隊が警備に当たっているのだった。機関銃を肩に掛けていて水平に構えていないのは、平時であることを物語っている。非常時であれば、ふだんから引き金に指をかけている。人通りの少ない街に警備兵。これではギャングは活躍しようがない。

宿の呼び鈴を鳴らすと、カメラだかミラーだかでこちらを確認する。フロントがボタンを押すと、ジジジと音がしてロックが解除されるので、ドアを開けて入る。極めて原始的な電気錠である。スペイン人が支配した地域、つまりはフィリピンとかラテンアメリカとかの入口のセキュリティの厳重さを目の当たりにすると、いつもそら恐ろしくなるが、それは永遠のテーマでもある。かんぬきは二重三重が当たり前、入口にコンシェルジュだか警備員のいない庶民の住宅でも、窓には鉄格子、塀には乗り越え防止の割れガラス。日本でそこまで厳重な家屋は、むしろ逆に何かしらヤバい。コロンビアでは、平和な世の中が実際に訪れたのだ。今後は、セキュリティ・ビジネスで儲けていた連中の淘汰が始まるのだろう。

ドミトリーが基本のホステルで、僕は個室を予約していた。別にわざわざそうしたのではない。シングル・ルームを検索したら当ホステルのそれがヒットしたというだけである。ちょっとしたホテルよりは安かった。いわば古民家のホステル転用であって、階段を上がったり下がったり、つまり増築や隣家を併呑して改築したりと、中は迷路のようになっている。曲がりに曲がった先が、いくつかあるシングルルームだった。屋内に小屋を建てたような体裁で、外に向いた窓はないが、なぜか屋内に向いた窓がある。調度は、ベッドと簡素な椅子ぐらい。部屋の鍵は南京錠だ。宿の南京錠すら信用しないハードボイルドな旅行者は、南京錠ぐらい持ち歩いているのでそれを使う。

当ホステルの最高級の部屋でもシャワー共同。つまり、部屋にはシャワーがない。10時間のフライト、いやカサブランカから通算すると17時間程度のフライトを経て着いたのだから、シャワーを浴びてさっぱりしよう。シャワーは、熱くはないまでも冷水ではなかったのでホッとする。高地の夜は更けるにしたがって気温は下がっていき、寒かった。この気温で冷水のシャワーには耐えきれないだろう。

日曜の夜、しとしと降る雨、夜間人口の少ない都心。どう動けばいいのだろう。タクシーでパッとした盛り場まで行くこともできなくはないが。そう、世界一周では、宿の場所が繁華であるよ

ホテル・スイスのシンプル過ぎるシングル・ルーム

うな、観光と宿泊が一致するような場所に宿を取るべきなのかもしれない。カサブランカがそのような場所であったのだが、タイミングが悪かった。夜に着いて朝に出るなんて。どんな繁華な場所でも、人々は眠らなければならない。不夜城のように夜通しにぎやかな安宿街なんて、バンコクのカオサン・ロードをおいてはほかには見当たらないわけで。

傘をさして、ボゴタの夜をそぞろ歩く。傘をさしているのにそぞろ歩くという表現でいいのかどうか。まずは夕食を求めて彷徨うが、どこも開いていない。それほどの深夜ともいえないが、日曜の夜というので、そもそもあまり開いている店がないところへ、雨が追い討ちをかけて、早仕舞いをするところも多いのだろう。ピザ屋だとか定食屋、キオスクのようなところが、彷徨っても彷徨っても開いていない。大いにがっかりする。

ホテル・スイスの周辺。決して安全そうには見えないが、要所要所に兵士がいる

タクシー移動の途中で見た方面まで、危険を顧みず足を伸ばす。意外に安全と言ったって、遠くにてくてく歩いて呑みに行けるほど安全かどうかは誰にもわからない。まして、今夜着いたような旅行者に、この街の何がわかるというのだろう。

足を伸ばした先はＢＢＣという酒場である。その名もボ《B》ゴタ・ビ《B》ア・カンパ《C》ニー。ビールはスペイン語でセルベッサというのに、ビア・カンパニー。キオスクめいた寒々しい売店ではなく、近隣には見られないほどの活況を呈している。サッカー中継を映しているのは仕方がないが、誰も見ていない。客は皆おしゃべりに熱中していて、賑やかを通り越してすごくやかましい。外は寒々しいというのに、店内は暖かかった。店内の喧騒に吸い寄せられるように、物乞いが雨の中に佇んでいる。

ビールを何杯か飲む。ピザもつまむ。ビールはコロンビアの純正だが、ピザはコロンビア料理とは言えまい。南米料理とすら言

ボゴタ地ビールBBCのラガー。
BBC?　ラガー?　南米とは思えないパブにて

えないのだが、セルベッサともコンパニーアとも言わずにビア・カンパニーと言い切る店に、コロンビア料理はないのだった。

だが、ビールもピザも美味しかった。致し方ない。

夜が更けて、店の前の物乞いがいなくなる頃、僕も帰途につく。もちろん、後ろを振り返り振り返りしつつ歩く。

時差ボケになる以前に、時間の感覚はあまりない。日本では寝坊して6時に起き、カサブランカでは現地時間の早朝4時に起きたのだが、寝られるときに寝て、起きなければならないときに起きるという生活に、そんなに自在に馴染めるはずもなかった。夜行フライトだとて、眠れるわけではない。日本が夜になる頃合いに、自然と眠くなるのも致し方ないのであった。

腕時計は日本時間のまま。そしてスマートフォンは、空港あたりでｗｉ－ｆｉを拾うといつのまにか現地時間に同期してしまう。

スマホの予定表に発着予定を入れたのが日本時間だとすると、予定表の上では時間軸がぐちゃぐちゃにずれてしまっている。プリンターで出力した紙の予定表だけを常に持ち歩き、それだけを頼りに僕は行動するしかないのだ。

振り返り振り返り歩きは効果があったのかどうなのか、無事にホテル・スイスに着いた。呼び鈴を押して、電気錠を開けてもらい。迷路のような廊下をたどり、部屋に入ると、すぐに睡魔に襲われた。

それはそうだ。疲れたのだ。

1週間程度の短期旅行では、現地時間とは別の時間軸で行動してもいい。しかも7日間世界一周では、毎日寝起きの時刻が違うのだ。寝られるときに寝て、出発の時刻になれば早朝だろうと深夜だろうと起きる。10時間を超すフライトでも眠れはせず、ボゴタの朝とはいえ、日本とは14時間の時差なのである。つまり、疲れて寝入ったものの早すぎる朝を迎えた僕の感覚は、まだ昼寝を終えた頃合いなのだった。

どうにもこうにも、もう眠れないと諦めて、ホテル内をうろうろする。コロンビア、つまりラテンアメリカの家庭と比べると、破格にアメリカナイズされたキッチン。食材を持参すれば自炊が可能なのだろう。冷蔵庫もある。だが、近隣に食料品店があったようには見えなかったな。

ホステルであるからには粗食の朝食付きなのだが、もちろんあと数時間待たなければならない。一旦ドアを出てしまうと、戻るときにフロントマンを起こすことになるので、それは好ましからまい。だいたい、まだ夜の明けきらないボゴタの街なんて、見てもいいものやらいけないものやら、わかったもんではない。

それで、ソファで情報でも仕入れるかとｉＰｈｏｎｅをいじって茫洋とする。ロビーのソファにいて気がついたのだが、隣にＴＶ室というようなカーテンで仕切られた部屋があり、どうもそこのソファにフロントマンが寝ているらしかった。イビキが聞こえてくる。当直室などという洒落たものはないらしい。それはそうだ。深夜から早朝の来客や出発客には、何時だろうと彼が起き出して電気錠を開けなければならない。そして、早朝チェックインの客がベッドなり客室に消えると、もう一度眠るのだった。そういうふうにできていた。

高地の首都の朝は遅いが、今日は月曜日。ゆるゆると街も始動し始める。

7時まで、なんとかやり過ごすと、ホステルのロビーでは、紅茶とトーストぐらいが出る。朝食といったって、テーブルに粗略に並べられた食パンを自分でトースターに突っ込み、ハーブ茶のティーバックにポットのお湯を注ぐだけ。起き抜けのおめざ程度である。パンは何枚まで食べていいのか。僕は2枚食べた。ハーブ茶は、美味しいとも不味いとも言えないしろものである。朝食に期待はしていなかったが、それにしても想定した以上の簡素ぶりだった。これなら出かけて屋台にでも寄れば良かったか。これ式の朝食ために時間をつぶしたことを後悔するが、宿泊料金に含まれている。金返せとも言えないのである。

宿泊客は、欧米人が多そうだ。日本人はいない。アジア人がそもそもいない。

目的は達成したので、チェックアウトまでの時間を、近辺を散

ホテル・スイスの朝食

策する。月曜の朝は、それなりに活気がある。前夜からの雨は上がったようだが霧雨のようでもある。坂の途中にあるスイス・ホテルから、折りたたみ傘を持って下ってみる。中南米の高地にもいろいろあって、当地やエクアドルのキトなどは、高地で空気が薄いはずだが緑も豊かでみずみずしい。山間なので、天気も変わりやすく、雨も多い。一方、ボリビアのラパスなどは埃っぽく街は赤茶けた印象となる。メキシコシティも沼地だったらしく、瑞々しさとは程遠い。おまけに盆地なので排ガスが溜まって空気が悪い。

ラテンアメリカ人にとってもっとも重要な施設、カテドラルまで下る。カテドラルとは、キリスト教で、司教座（主教座）のある聖堂で、教区全体の母教会の意味をもつ司教座聖堂であるらしい。しかもコロンビア大聖堂は首都の大聖堂である。国を代表する教会なのである。スペインから来た、入植者というかまあならず者は、まずはカテドラルを作る。そして隣接してアルマス広場というのを作った。そして行政や提督の宿舎などが整備されていく。カテドラルとアルマス広場を中心に、支配を広げていくという寸法である。ピューリタンが家族で入植した北米と違い、野心に富むカトリックが単身で入植していった中南米では脈々と混血が進み、今でいうヒスパニック系という人種を誕生させた。ラテンアメリカ人が自嘲して言うところの〝犯された大陸〟である。ラテカテドラルは権力と密接に結びつき、侵略と教化は二人三脚で進められた。

そのカテドラルの前には、警官が集結していた。弾圧とか鎮圧というのではなく、整列している。毎日ここで集結しどこかへ出動して行くのだろうか、男女警官、男女白バイ隊員とも、おしゃべりに余念がなく緊張感はない。日常の職務からゲリラ摘発というような項目がなくなったからか。僕は、コロンビア人って首が短いなあ、と日本人を見て目がつり上がってるなあと思われるように、思ったのだった。僕がカテドラルを近辺をうろうろしているうちに、退屈な朝礼のような整列と点呼を終えて、彼らはいなくなった。

カテドラルから始まる商店街を散策する。このストリートは、変哲のないラテンアメリカの商店街で、雰囲気は少々ヤバい。だが、都心の午前中なのであり、だいたい日が暮れてから活躍するような人はまだ出動していない。今この通りに出没するヤバい人は、スリとかひったくりとかいう類である。宿にバックパックを置いてあり、身に付けている貴重品はｉＰｈｏｎｅとコンパクトカメラ。腕時計は外してポケットに格納してある。

カテドラル広場に集結していた白バイ隊の女性隊員

通りのカフェで朝のカフェコンレチェを喫す。コロンビアは珈琲産出国だが、町場のカフェなどではネスカフェが出てくるのが一般的だ。メキシコやミャンマーあたりでは、カップにネスカフェの瓶、湯の入ったヤカンをドンと置かれたりするが、この店ではカップに入ったレギュラー・コーヒーが出てきた。

隣の客が食べているものがどうにも美味そうだったので、「あれは何？」とウエイトレスに訊くとカルド・デ・コスティージャと言う。同じものを頼む。直訳すると、肋骨汁。薄味の出汁が実に滋味豊かでホッとする。旅のスープは格別であるという真理に、久しぶりにまた到達した。人生でもっとも美味な旅のスープは、インドのトマトスープだったが、コロンビアのこれもまた実に美味い。このスープがあるのなら、コロンビアの未来も明るいかもな。住むのも悪くない。そんな心にもないことを思いながら、店

カルド・デ・コスティージャ。肋骨汁。

を後にする。

　ボゴタのこの辺りは政府の機関や博物館、美術館、大学もあり、手厚い警備が施されている。だが、途上国の繁華な都心であるからには、怪しげな人もたまに出没する。首都に人口が集中し、歩いている人の数がなんとも多い。その中で、明らかに怪しい人はどんなにたくさんの人がいても、たいていはわかる。そういう人は、怪しさのオーラが際立っているのである。そういう人には絶対に近づかないようにしていると、怪しさのオーラが中途半端なので警戒せずにいた人にまんまと近づかれていたりして。旅先の市場や繁華街というところは、そのような神経戦の場でもある。

　タイというところは、微笑みの国と呼ばれて首都バンコクは国際観光都市として躍進を遂げている。敬虔な仏教国で微笑みの国であるからには、犯罪なんかありえないようにも思えるが、人身売買や麻薬など、ある意味で東南アジア的な犯罪のるつぼでもある。水上バスや市場で暗躍するのはスリである。僕はタイでは、スリは見ただけでわかる。ピンときて目で追っていたワイシャツの中年男が、上着を腕に掛け、ショルダーバッグを肩に掛けて上着を掛けた方の手先で器用に乗客のバッグをアサっていくのを何度目撃したことか。そして、なんと水上バスにスリの多いことか。そして、うじゃうじゃいるスリにタイ人がなんと無防備なことか。

鎧を纏ったハードボイルドな旅人でいては観光など成り立たないが、さりとて無防備すぎるのも考えものである。小さな被害に何度も遭いながら、人は旅慣れていくのであった。大きな被害に遭ったら、もう旅などやめるのかもしれないな。

通りにあるイヴァネス書店の2階が珈琲店になっていた。書店の方は、どうも法律書の専門店らしい。客の多くはスーツを着たラティーノたちなのであり、そんな空間にはあまり行きあたったことがない。南米では公務員だってたいていはポロシャツにジーパンといったいでたちなのである。で、2階に上がって見ると、珈琲店の壁には法衣を来た無数の肖像が飾られている。肖像写真は法律家たちなのだろう。女性もいる。内戦をやっている国の裁判官というのは、もちろんゲリラを裁く立場なのであり、政府の、つまり検察官の言う通りに判決を下していれば地位は安泰だ。だが、それではいつかは暗殺される。国家権力の犬でも、ゲリラに同情的でも、やられるときはやられるのがこの国での死に方だ。1985年のコロンビア最高裁占拠事件では、ゲリラ35人全員だけでなく判事11人、人質115人が犠牲になった。政府軍が人権抑圧の証拠隠滅のため突入時に裁判資料に放火したとする目撃証言もある。政府と政府系暗殺団、麻薬組織、ゲリラらが幾重にも絡み合って、コロンビアの治安回復は容易ではない、と思うがどうなのか。イヴァネス書店のコーヒーは、むろんネスカフェではなかった。

スイス・ホテル近くのギャラリーで写真展をやっていたので、入る。管理人が英語で説明してくれたところによると、学生のグループ展だという。写真なのに抽象的で、民家を改造したようなギャラリーの佇まいと合っていた。途上国や内戦国でのこうした芸術活動には本当に唸らされる。人々は芸術よりも食べるものに関心があり、飛び交う銃弾から逃げ惑う瞬間に芸術は無力なのではないかと思ってしまう自分をあざ笑うように、こうして活動している芸術家がいるという事実に唸らされるのだ。

空港に向かう時間には早いのだが、出発。早めに向かって正解だったとわかるのは、空港に着いてからである。ラテンアメリカ

イヴァネス書店の1階。2階がカフェである

スラムや内戦中の街では壁画が町おこしにひと役買う。ボゴタはどうか

では公共交通機関の料金がかなり安めで、それは貧者が働きに行くための移動は可能にしてあると聞いたことがあるが、悪くない。東京は電車がまずまず安く、大阪はそこそこ高い。大阪の人口は東京の半分だが、ホームレス人口は2倍だ。大阪の公共輸送機関は値下げすべきではないのか。

コロンビアではタクシーもそれなりに安いので、タクシーで移動する。車窓からは、平日のボゴタの、どこへ行っても人波がうじゃうじゃいる様子が見て取れる。こういう光景も高齢化の進んだ日本ではなかなかないのではないか。日本は、繁華な街は繁華だが、場末となると見渡す限り人っ子ひとりいないという風景がありうる。いや、繁華の対義語が場末というわけでもあるまい。場末は場末でひなびた味があるものだ。繁華街の反対は縮んで疎らな状態なわけだから疎縮《そしゆく》街とか縮疎《しゆくそ》街では、どうか。途上国に特有だが、隅々にまで人がいるのは、もはや懐かしい風景と言いうるのかもしれない。

昨夜の歓楽通りの記憶はなまなましいし、ヤバ市ヤバ町好きな僕ではあるが、昼間のボゴタ中心街はいたって緊張感がない。人々も緊張して歩いているわけではなく、リラックスしてダべりながら歩いている光景からは、安穏さぐらいしか漂ってこない。タクシー・ドライバーが雲助かというとそんなこともなさそうで、メーター制だった。カサブランカのタクシーが準メーター制であったし、たいていのメーター制タクシー国はメーター以外で課金する制度、つまりメーターが付いているのに外国人からは当然のように法外に取るのが常である。ボゴタのタクシーは、乗ってみると意外に生やさしかった。

7日間世界一周だから当たり前なのだが、昨夜着いたばかりの空港からもう発つ。

ボゴタからマイアミまでの便は、スピリット航空。米国のLCCである。いつもだとチェックインは出発の1時間前にできれば上出来という僕だが、今回早めに列に並んだのは虫が知らせたのか、旅の神様が救ってくれたのか。

チェックイン客が並ぶ列に、どの便に乗るのか必要書類はあるかなどの交通整理を行うスタッフがいる。そのスタッフが言うには、日本人が渡米するには電子渡航認証《ESTA》システムというビザ免除プログラムを事前に取らなければならないという。

このときの僕の反応は、うーん、そんな話あったなあという程度である。し、しまった、またしくじったあ、というものではない。東京から直の渡米ではなかったため、西廻りでてくてく南米まで来て、そこから米国６位の都市へアタックをかける段になって、初めてそんなシステムが、そんなプログラムがあることに思いが至ったというのであった。これも９・11にまつわる措置のひとつで、米国出入国カードが廃止された２０１０年７月以降は全面的に義務化されたということなので、僕が少なくとも７年間は渡米したことがないということを意味する。カナダには行ったけど、米国のこのおふれにはさわりもしなかったというわけだった。

「そんなものない。現地で取れないのかな？」

「現地で？　無理だと思うけど、聞いてみる……。やっぱり無理だって」

「無理かー。どうやって取るの？」

「し、知らないの……。ネットで取るのよ」

「そう、やってみる」

そう言った僕は大急ぎでｉＰｈｏｎｅでＥＳＴＡを検索してアクセスし、そこから指示にしたがって項目を入力するところから始めるしかなかったのである。スピリット航空のスタッフは、コイツにはもう関わりたくないとばかりにすーっといなくなる。このシステム、出発の72時間前に取得しておくことが推奨されていたが、今では当日の申請はできなくなっている。チェックインの列に並んでいるこの時点で、あと1時間程度しかない。

空港は無料のｗｉ－ｆｉのエリアになっている。それで米国土安全保障省のサイトにアクセスし、日本語もあるＥＳＴＡの入力フォーム・サイトから手続きする。フォームの入力項目は、かつてあった入国カードのようなもので、有罪判決を受けたことがあるかとか、永住権の有無とかそういったことである。そう簡単とばかりも言えず、何十項目もある。焦りつつ延々とアンケートに答えていくと、気が遠くなりそうである。

ここで問題発生。ボゴタ空港のｗｉ‐ｆｉは、脆弱すぎてすぐ切れる、というか、ときどき繋がるといった方がいい。スピリット航空の列はどんどんハケていき、僕はｉＰｈｏｎｅを操作しながらどんどん後ろへ後ろへとずれていく。ついに最後列で着いていきながら、チェックイン・カウンターの順番が来てしまっても、もちろん諦めきれない。

「ちょっと待って。ｗｉ‐ｆｉ切れて進めない」

「もうダメ。あなた飛べません」

「頼む。搭乗までには終える。いや、出国審査までには終える」

「もう。飛べなくても当社は責任を負いません！　出国審査でハジかれるかもしれないし、搭乗口で断られることもあります。わかったわね！」

「はい」

これが杓子定規な欧米諸国のチェックイン・カウンターだったらと思うとそら恐ろしい。そうであればおそらくはこの場で万事休す。放り出されて翌日の便を買いなおすことになっただろう。ラテンアメリカの、しかもコロンビアであったればこその死刑執行の猶予、に思えてならない。

このときこの場では、ありがたいことに便へのチェックインはできた。とは言え、あと数十分が勝負である。出国審査でESTAが求められるのか、それとも搭乗の際に求められるのか、時間はもうギリギリであった。勝負といったってwi-fiが繋がらなければ一歩も進めない。幸いにもWebサイトの方はwi-fiが切れても待っていてくれるので、繋がったときに進めては切れて休むという有様であった。これは実に、心臓に良くない。

今度は、出国審査の列に並んでもフォームの入力を続ける僕であった。

長く休んでは短く繋がるｗｉ‐ｆｉによってフォームの入力を続けていくのだが、あら不思議、出口が見えてくるものだなあ。なんとかフォームの全てを入力し終え、14ドルの課金をクレジットカード情報を入力して終えたのと出国審査官と対面するのは、ほぼ同時であった。大いに脱力する瞬間である。この時点で、申請のステータスは「保留」。保留が意味するのは、時間切れということか、それとも申請終了者は全員が留め置かれるステータスなのか、僕にはわからない。

とはいえ、コロンビアの出国審査ではＥＳＴＡは求められなかった。そう、米国での入国が叶うかどうかは僕の問題なのであって、出て行きたい外国人はＥＳＴＡがあろうがなかろうが出て行かせるのみ。そういうふうにできていた。

ここで、先ほどチェックインさせてくれたスピリット航空の地上スタッフ再登場。格安航空会社ではチェックイン・カウンター業務の終了と同時に搭乗カウンターへ移動し、掛け持ちで働くのである。スピリット航空カラーの黄色いポロシャツを着て。

疑い深くｉＰｈｏｎｅに表示されるＥＳＴＡ受付番号を入念に確認したスタッフは、晴れて僕を機内へと送り出してくれたのであった。僕はもちろん、何度も礼を言った。そして女性スタッフは最後に確かに言った、「エンジョイ・フライト」と。本当にありがとう。

旅の神様が救ってくれるのであれば、日本を発つときにして欲しかったな。そうはいかなかったわけであるのだが。

2017年3月27日　6日目

Miami

アメリカ合衆国・マイアミ

マイアミ。コロンビアとの時差は1時間。マイアミの方が進んでいる。全米6位の大都市だが、経済誌フォーブスによると、深刻な住宅危機、高い犯罪率、長い通勤時間などで、〝全米で最も惨めな都市〟だそうである。とはいえ、マイアミ圏にあって僕がきょう飛ぶのは、フォートローダーデール・ハリウッド空港という、マイアミの北の北の第二空港なのであって、マイアミ国際空港ではない。ＬＣＣは都市の第一空港にはあまり受け入れられない。第一の空港は駐機料が高い。さまざまなコストと支出を抑えてこその格安航空券である。

ＬＣＣは第二第三の空港に飛ぶのが常である。

ＬＣＣであるからには機内では水も出ない。座席の列も詰めて、少しでも多く乗客を詰め込んである。料金をケチりたいわけではないのに、たまたまこの便に乗り込んできた乗客がお腹が空いていたらどうするのかというと、あらかじめネットで食事を注文するのである。水一本、コーヒー一杯からお金がかかるし機内で注文はできない。事前注文分しか積み込んでないのである。荷物を持ち込むにも料金がかかるので、僕の荷物も少ない。もっとも、機内預けにした荷物が出てくるのを待つ時間も惜しい弾丸世界一周では、荷物は預けないに限ると言っておこう。

当地の入国審査は、米国籍の有無に関わらずマシンに向かってオンラインで行う。ＥＳＴＡが実際に有効であるのかどうなのか心配したものの、有効だった。ごった返す入国者は国内線とかカリブの島々とか、とにかく近場からの米国人乗客が多く、規模はバスターミナル程度の空港といって差し支えあるまい。だが、確か３ヶ月前の２０１７年１月には、ここでも銃の乱射事件があり13人が死傷したという。米国では、毎月乱射事件が起こる。

乗客が機内預けの荷物が出てくるのを待っているのを尻目に、すいっと空港のゲートを出ていくのは気持ちが良い。抜け駆けの爽快感以上のものがあるかというと、実はない。荷物を待つ数十分が増幅されてどんどん無駄になるというのは誤解と錯覚である。

とは言え、フォートローダーデール空港からもすいっと出たのは爽快であった。空港のハズレのバス停からマイアミビーチを目指すルートは、事前に調べてある。そんなことを事前に調べる前に、ＥＳＴＡのことをなぜ調べなかったのか。説明書を読まない癖、人に道を尋ねない癖、思い込みでずんずん行く癖が災いしたこの旅であった。いや、この旅だけでなく、いつものことであった。

マイアミ圏第二の空港から、当地のもっとも当地らしいエリアであるマイアミビーチまでは、バスを2本乗り継いで2時間近くかかる。バス賃は2ドルずつの合計4ドルだが、このご時世にマイアミのバスはお釣りが出ない。乗り換えたバスではみすみす5ドルを呑み込まれたのであった。料金箱に5ドル札を突っ込んだときの、バス・ドライバーのフフンというようなドヤ顔。アフリカ系の、おばちゃんであった。

郊外の、リッチとは言えない地域を繋ぐ米国のデカい路線バス。いうまでもなくこの国はクルマ社会なのであり、リッチであり、移民でなく、免許保持者であることを誇示するためだけにでも、コンビニに行くのもクルマに乗る人々である。バスに乗るのはクルマを持っていず、かつタクシーに乗れない層の民である。

フォートローダーデール・ハリウッド空港はマイアミ第二の空港

マイアミ圏の〝公用語〟は、ラテンアメリカ語であるスペイン語。だが、車内では当地のマイノリティ言語である英語も聞こえてくる。

空港から中間地点のアベンチュラ・バスターミナルで乗り継ぎ、しばらく行くとマイアミのノースビーチがようやく見えてきた。目指すのはサウスビーチである。当地では北に巨大リゾートホテル群が並び、南にアール・デコ地区という瀟洒なエリアがある。そこのホステルを目指すのである。

なぜこのリゾート地でもホステルか。寝床は寝床。滞在期間も極短である。これでいいのだと思ったが、もちろん弾丸世界一周では肉体的にも精神的にも負荷は少ない方が良い。シングルルームに越したことはないのだが、ここでもホステル。

サウスビーチの南端に近いバス停で降りる。空港でもない街場

サウスビーチの風光明媚なアール・デコ地区

では、もちろんｗｉ－ｆｉは拾わない。信号ごとに出ているストリートの表示を凝視しながら位置を確認し、１時間かかるか２時間かかるかも曖昧なまま４番街とコリンズ通りの角でバスを降りる。すっかりアール・デコ地区なのであり、見渡す限りめっぽう明るい。夕方に空港に着いたものの、ホステル入りはめっきり夜更けである。

ビーチのある州は数あれど、カリフォルニアとフロリダはその双璧なのである。ＬＡがもともと砂漠だったとすれば、マイアミは湿地帯である。マイアミビーチはマイアミビーチ市なのであり、ダウンタウンをなすマイアミ市とは別。

１９５９年元旦のキューバ革命で富裕層が大量にたどり着いたのが当地である。ハバナまで１５０㎞で、革命騒ぎが収まったら戻ろうと思っていたのが60年近くになってしまっただけでなく、２０１６年にフィデル・カストロが死んでも倒れないほどにはキューバの革命政権は堅固だった。１９８０年の不満層の大量出国、１９９４年の経済難民流出と、節目節目でキューバのガス抜きがマイアミに及ぼした影響は大きい。キューバ以外でも当地のラテンアメリカ人人口は約半分。地元紙マイアミ・ヘラルドも英語版よりスペイン語版の方が早く売り切れる。

もともとユダヤ系の保養地として発展した地でもあり、シナゴーグとか一目でそれとわかるユダヤ教系の病院や学校もある。ゴッドファーザーＰＡＲＴⅡに登場するマイアミとその裏庭のようなキューバを縄張りにしていたのは、リー・ストラスバーグ演じるユダヤ系ギャングのハイマン・ロスだった。革命の勝利を予感したロスはシマを譲るふりをしてイタリア系マフィアのコルレオーネ（アル・パチーノ）から資金を騙し取ろうとする。大晦日のパーティーから大統領が逃亡するのを目の当たりにしたコルレオーネら米国産業界の視察団は、命からがら米国大使館からの特別機で避難する。概ね史実に基づいているとすると、ちょっとしたタイミングの差でハバナの暗黒街はイタリア系が支配した可能性もあったのかも。

バス停からホステルはすぐだ。空気は湿っているが寒いほどではない。その点では、マイアミには日本の春に出発するのが得策であるのかもしれない。

このテのホステルでは効率などを期待してはいけない。フロントでは、水着の上にパーカーを着たような女がスタッフに何か厄介ごとを持ちかけているようだった。効率を期待しないというのは、ものごとの軽重や長短に関わらず、着手した順にしか終わらないということであり、僕のチェックインごときの、どんな安直な案件でも後回しになされるということを意味した。いったん中断してアジア人のチェックインを終えて、それから君の件にかかろうねという交通整理は、相当に職業訓練を積んだ人材にしかできない芸当であった。

長い待ち時間は人種差別のせいかもしれないな、と僕が思い始めたとき、ようやく水着ガールの案件は終わり、僕の安直なチェックインも終えられたのだった。スタッフは「あんたはイライラしたかもしれないが、俺は手順にしたがって業務をこなしただけだ」というような言い訳をした。僕もそこに異存はなかった。

廊下の先の部屋の、今度はドミトリー、つまり４人部屋の一員となる。３泊７日のうち、２段ベッドは初めてである。ベッドの下段の人物は、どうも思い詰めたような目をした、風変わりな人物であった。ビーチの高級ホテルに居続ける金持ちというのも怪しそうだが、ビーチのホステルに居続ける貧者というのも相当に怪しい。だが、僕にとっては明日の朝までのほんの数時間となれば、この人がどんなサイコパスでも、武器でも持っていない限り関係がない。ただ、このときこの空間で、武器の有無は僕にはわからないのだった。

ベッドに荷を解き、シャワーを浴びて、疲れているのかどうなのかわからないが相当に消耗はしている身体を引きずって、僕は夜のサウスビーチ・タウンに出かけるしかなかった。腹が減ったのだ。

深夜ではあるが、街灯は明るい。人通りは少ないという以上にまばらである。リゾート地であるからには、洒落たバーやカフェも健康的で、閉まった店々も店内に明かりを残しているので街全体に薄暗い感じがなく、歩いているだけで楽しい。そう、マイアミは〝ラテンアメリカのハワイ〟でもあったのである。

行ったり来たりするが、キューバ・レストランやピザ屋は店じまいの頃合いである。クラブというのはまだまだこれからなのだろうが、そこにお邪魔するつもりはない。今に始まった事ではないし、日本でも大いに悩んできたことなのだが、僕の、店を決められない性質なんとかしないとな。

一念発起して、あるサンドイッチ屋に入る。夜なのにテラス席で、ドミニカ産のビールを飲む。サンドイッチと言ったってカリビアン・スタイルで、ただ挟むだけではなく、いろいろと盛ってあるというか巻いてある感じ。それをつまみに呑むのは、今回の旅にあってはなかなかの心地良さである。もっとも、洒落たカフェ・

スタイルの飲食店にこの旅で初めて入ったのが今宵なのだ。

目の前のコリンズ・アヴェニューはマイアミビーチの目抜き通りであって、ときどきオープンカーに定員オーバーのパーティー・ピープルを乗せたようなのが、嬌声とともに通って行ったりもする。そんなのを横目に見て舗道を歩いて帰途につくのは、ユニフォームのままのメキシコ人の掃除夫とかピザ屋の店員とか。まあ全米どこでも同じような光景なのかもしれないな。

涼風が心地よいアヴェニューをホステルまでそぞろ歩く。ここは五大陸弾丸旅行の、つまり7日間世界一周の、五つ目の大陸なのであり、あとはダラスを経由して帰国の途につくだけだ。

宿に戻り、どんなサイコパスかもわからない下段の住民にはまったく注意を払わないまま、僕は眠りについた。もう寝床でさえあれば、どんな場所であろうと眠れる。

キューバ風サンドとドミニカ・ビールの晩餐

眠ったのは良いが、目覚めたのが夜明け前というのはどこかで経験した気が……、そうか、ボコタでもそうだった。すっかり時差にやられ続けているわけである。ロビーに出てみると、同じように早起きなのか、それとも前夜から寝ていないのか判然としない人物がノートパソコンで何かしている。ここでもｗｉ－ｆｉが使える。メールどころか携帯やＰＣを使って家族や友達と通話もできる。インターネットが世界を縮めたというか歪めた功罪は果てしないな。だが、こうして7日間で世界一周できるというのは、ネットで航空券が買えるという環境、日本で世界一周チケットを買うのではなく世界のチケットを日本から買える環境なしにはなし得なかったことを考えると、あながち敵視してばかりもいられないのか。いや、7日間世界一周なんて、できないならできなくて結構なことの筆頭ではないか。そうか、それをやっている僕っていうのは、ネット世界にあぐらをかいた愚かなトラベラーなのかもしれないな。いや、ネット環境とは無関係に、旅というものはするものである。早起きすると、妙な想念やひとり会話が頭の中をぐるぐると廻るので困る。

それを振り切って、東の空がうっすらと白んできた頃に、海を見に出かける。

全米5位の危険なマイアミだが、それはダウンタウンであって、マイアミビーチはいたって安全。あちらこちらをうろついた昨夜もまったく身の危険は感じなかった。後ろを振り返り振り返り歩いたボゴタとは違う。

マイアミのヤバさには、１９８０年のキューバ大開放が大いに影響している。出て行きたい者は出て行けとばかりにマリエル港から出した貨客船はマイアミとの間を何度も往復した。もちろん刑務所はカラになった。米国のキューバ政策は他の中南米諸国と扱いが違い、出てきたキューバ人に片っ端から市民権を与える。米国政府は、キューバ国民には国を捨てることを奨励しているのである。革命を嫌って脱出した富裕層と違い、資産もない不満層がマイアミでできることはない。刑務所上がりはマイアミでも犯罪に手を染めた。これもアル・パチーノ主演の「スカーフェイス」の頃である。マリエル世代から随分と月日が経つが、そこで最大化した暗黒街は、ラテンアメリカ諸国ギャングと連携し、未だにマイアミを牛耳っているということか。

太陽は、大西洋から顔を出す。海を向いているサウスビーチのアール・デコ建築が朝日に照らされてオレンジ色に染まる。清々しいやら可愛らしいやら。ついさっき閉めたようなカフェでも、もう開店の準備が始まっている。

マイアミ・ビーチから見た大西洋

大西洋の海水は冷たい。冷たい水の上を伝ってきた海風もまた涼やかである。砂浜には、シーツを被って野宿した人が散見される。ホームレスか、あるいはビーチで盛り上がったヒッピーか、あるいは麻薬常習者か。朝日を見にきた散歩者もちらほら。日が高く昇る頃合いにも、冷たい大西洋で泳ぐ者はいない。みんなカフェで呑んだくれたり、ビーチ・チェアで寝っ転がったり。サウスビーチにもゲイビーチの一角があるが、そこだけはものすごい人口密度である。

ビーチを歩いて写真を撮る。こんな街に住むのは悪くない。日本なら湘南ということになるのだろう。だが、マイアミは犯罪多発だけでなく、住宅難もあって住み難い街とされている。

掃除は始まっているが、まだ開店するカフェはない。少し歩くと、珈琲店が開いたところなので喫茶活動。そういえばこの街、コンビニというのがない。スタバはいくつもあるが、マクドナルドも見当たらない。この珈琲店も、チェーン系のようだがスタバやタリーズのようなナショナル・チェーンではない。独立系を誘致する条例でもあるのだろうか。鳥取県のように一軒もないところにできると泣いて喜ぶ人たちもいるが、チェーン店だらけの景観は街をのっぺらぼうにしてしまう。サウスビーチにはそれがないので、街がのっぺらぼうではない。

ホステルに戻ったのは、朝食が始まる頃であった。シリアルかパンケーキ、アメリカンコーヒーというのは、ボゴタと似たようなものか。朝食要員として出勤したスタッフは、スペイン語で大声で笑いあっている。メキシコ人のボソボソしたスペイン語でなく、カリブの大げさなスペイン語である。

ホステルの宿泊客は、ラテンアメリカ人やらヨーロッパ人やら。朝食を済ませたら、もうホステルに用はない。僕はそそくさとチェックアウトし、バス停へと向かったのだった。

行く先は八番街《カジェ・オーチョ》、別名リトル・ハバナ。キューバ人移民が脈々と作り上げてきた街である。ここではマクドナルドですらエスプレッソ式に抽出する、こってりと濃いキューバ珈琲を出すと言われていたが、都市伝説だった。マクドナルドのコーヒーはマクドナルドのコーヒーだ。エスプレッソマシンもない。

バス2本を乗り継いでリトル・ハバナに向かう。この街のダウンタウンには地下鉄は馴染まないのか、モノレールのような新交通システムが走っている。網の目のようにバス網も巡らされている。インターネット環境さえあれば、どこから何番と何番のバスを乗り継いでどこで降りるのかという経路は瞬時に検索できる。

宿の朝食。付いているだけマシと思うことにする

便利と言うべきなのだろうが、興が削がれて安直になったと言うこともできる。

　大マイアミ圏全域に渡ってキューバ人もラティーノも住み着いているのであって、リトル・ハバナだけにキューバ人がすし詰めという訳ではない。観光地化が進行するにしたがって、住人は住宅街に移っていき、当地の商業地化が促進された。

　だが、リトル・ハバナは観光地なのであって、米国に居ながらキューバを味わえるという程度の気持ちで観光客は訪れる。本家のキューバ観光ではカストロやチェ・ゲバラというものも観光資源なのであるが、もちろんそれはこちら側ではタブー中のタブー。1960年前後に出国した第一世代からは、鬼か悪魔のように忌み嫌われている。だがマリエル世代や経済苦を嫌って脱出した人々は、低めだったが平等で公正、近隣の助け合いが徹底してい

リトル・ハバナの象徴、ニワトリ

たキューバをむしろ懐かしむ。マイアミ生まれの第二世代は、親たちのようにむき出しの憎悪も持てず、逆に父祖の地への憧れすら持つ者も少なくない。

マイアミ・ダウンタウンの西側に隣接するリトル・ハバナの、通りの両側が当地を表象する観光地になっている。キューバ・レストランにシガー、土産物店……。だが、これほどソレを売りにしながらソレを拒絶する街もまたとない。まさに亡命政府の城下町というべき風情なのであった。シガー店で売られているシガーはキューバ産ではなくドミニカ産。キューバ珈琲を出す店もキューバ風に淹れたコロンビア珈琲を出すような。キューバを捨てたバカルディ・ラムと同社がキューバ政府と争って持ち出したアトゥエイ・ビールの商標も。

通りの片側が混んでいるのは、観光バスで来た観光客が道路を渡ることもせずに狭いエリアに留まっているからなので、片側の店だけが不均衡に繁盛している。キューバ人の老人たちがドミノに興じているマキシモ・ゴメス公園の側である。そこを離れて、反対側をそぞろ歩いてみる。観光地の外れといった風情が漂い、ある程度は地元の一般人たちも店々を賑わせている。

そのうちの一軒のキューバ・レストランに入る。カウンターに座る。チップが目的の米国流のもてなしはハイテンションだ。ともついていけないが、エブリシングＯＫ？にＯＫとか答えながら食したキューバ料理はうまかった。バカルディ社が商標ごとキューバから持ち去ったアトゥエイ・ビールも飲んだ。料理はうまかったが、そこは観光地。高過ぎるのだ。そして、チップ。チップはご丁寧にも３段階が伝票に算出されており、僕の懐具合に応じて自由に加算できるようになっているが、最低額はあくまで維持される仕組みだ。

昼からビールを飲んで、フロリダの陽光の下を、ではフォーローダーデールを目指す。リトル・ハバナからダウンタウンで一旦乗り換え、さらに北のアベンチュラ・モールで再び乗り換えるのは昨夜と同様。だが、陽光の下でビーチ・タウンを尻目に空港に向かうとは味気ないことこの上ない。

ブロックからブロックへの足がわりにバスを使う乗客もいるが、やはりバスを日常的に使う習慣は米国人にはあまりない。日常的に使うのはやはり庶民なのであった。警備員の制服を着た、スポーツ刈りほどに短髪な女が先ほどから携帯で大声で英語で喋っている。よくわからないがめっぽう伝法な口調であり声も大きい。だが、乗客は諦めているのか、迷惑がっている素ぶりはない。この街で英語はマイノリティである。あのあれだけ短髪だと

リトル・ハバナの観光レストランは、美味かろう高かろう

同性愛者なのかもしれず、ダブルでマイノリティの女は、北に向かう長い路線の途中、リゾートホテル群の切れめあたりで、降りていった。

アベンチュラ・モールで乗り換えたバスがフォートローダーデール空港に着かなかったときでも、僕は仰天したりしない。トラブルはつきものなのであり、僕は旅力というのにやや欠ける傾向があるようなのである。旅の神様とか、親切な人とかのお目こぼしに預かって、何とか旅を続けていけるものらしい。

「空港行く？」「ああ」で安心しきっていてはいけなかったのである。ノースペリー空港というヘリコプターの空港があって、どうもそこに着いたらしい。その他、オパ・ロッカとかいう昔キューバ空爆にも使われた空港もあり、マイアミには、ふたつの国際空港以外にも空港がもうひとつやふたつあるらしいのである。仰天しないが大いに焦るという心境を想像してみてほしい。つまり、自分のしでかしたミスは冷静に受け止められるが、そろそろ時間がヤバい、という事態はいかんともしがたいと、そういう心持ちだったのである。

失策の上塗りはもうできない。もはやタクシーでも何でも乗るつもりだ。だが、客待ちしているタクシーは見当たらない。バス停の行き先を見て回ると、ここからまた空港行きのバスが出ているらしい。本当かな？　内心大いに焦りながら、次に来たバスに乗る。もう小銭もない。また5ドル札が料金箱に吸い込まれていくが、釣銭は出ない。

このバスの行き先が間違っていたら、もうアウトである。乗客のひとり、車椅子に乗った、ずっと喋り続けているおばさんに尋ねてみる。

「このバス、空港行きます？」

「ええ」

「フォートローダーデール・ハリウッド空港？」

「ええそうよ、長いのよね名前」

「はい、ありがとう」

これでハズレていたら運命を呪うしかない。だが、呪わずに済んだのだった。やれやれ。


帰国の途につくが、帰国便ではない。いや、帰国便なのだがテキサス州ダラスを目指すのだ。なぜ経由便かというと、もちろん安いからである。フォートローダーデールから成田に直行する便はない。しかも、ダラスの前にまずは国内線でロスアンゼルスを経由してダラスに立ち寄り、そこから日本を目指すのである。まずは米国内のハブに接続すのである。自分でもいつどこからどこへ向かうのかがこんがらがりがちだが、大丈夫、もつれた旅程とはいえ、２ヶ所に同時に行くことはできない。カラダはひとつ。行き先もひとつなのだから。そんなにあちこち経由して体力は大丈夫なのかというと、まあ大丈夫だ。

テキサス州ダラスは未明である。マイアミを夕刻に発ったこれも格安航空会社のヴァージン・アメリカ機は10時頃にはロスアンゼルスに着く、そのまま深夜０時過ぎのダラス行きに乗り換え、ダラスに着いたのはまだ夜明け前である。

ロスアンゼルスで着いた空港ターミナルと、出発の空港ターミナルがえらい離れていること以外は、ＬＡの印象はない。しかも、

帰国の途につく。まずは国内線でダラスを目指す

深夜に向かう構内には人がだんだんいなくなる頃合いである。暗い国際空港だなあくらいに思っていた。

ダラス。このダラスというのに馴染みがない。テキサス州というのは西部劇の舞台らしいし、太陽にほえろのテキサス刑事というのもいたことだし、ブッシュ大統領一族がその辺の石油成金らしいし、有名ではあるが、テキサス州とダラスというのが直結しないのである。ちなみにダラスはテキサス州の州都ではない。ヒューストンですらなく、オースティンというのが州都である。カリフォルニアの州都もＬＡでもサンフランシスコでもなくサクラメント。フロリダもマイアミではなくタラハッシー。米国では州都と大都市が必ずしも結びつかないのだった。

だが、ＪＦＫが暗殺されたのがダラスだったとなれば、「あっ」となるのである。スーツを着たビジネスマンすらカウボーイハットをかぶる、マッチョな土地柄である。暗殺する気満々でＪＦＫを招き、敵地でのオープンカーでのパレードを強行させ、ライフルで狙撃と。幾重にも陰謀が渦巻き、渦巻き過ぎて目が回る暗殺事件である。

当地のフォートワース《DFW》空港。これがまたデカい。ＮＹのマンハッタン島より大きいというのだから巨大だ。それでも米国にはデンバー空港という、さらにデカい空港があるというから呆れる。ここをアメリカン航空がハブとして使用している。中西部で土地が有り余っていれば、何でも作れるんだな。

マイアミからダラスまで、眠れるわけもなく過ごし、未明に到着。６時間半ほどの待ち時間は中途半端すぎるが、今度は出かけてみようと思う。ほかならぬ、ＪＦＫ暗殺現場へ。

巨大なフォートワース国際空港の各ターミナルは、無料バスで繋がっている。ひとつひとつのターミナルがひとつの空港と呼べるほどの規模なのであり、各ターミナルを一周するには何十分もかかる。そのうちのひとつのターミナル付近からダラス市街へ向けた電車が出ている。郊外を走る通勤鉄道といった風情である。

ここでも僕は無料バスで、空港の外れの駐車場のようなところに連れて行かれるというのをやらかしてしまう。気を取り直して、まだ夜明け前の空港をもう一周して、やっとコミューターのＤＦＷ駅に着いたのだった。

目的地は駅ではないのであって、そこからダラス市街までは1時間かかる。朝イチ、といっても始発ではない。どうもこの乗り物に乗ってちんたら市街を目指す人はあまりいないらしく、早朝のコミューターの乗客は少ない。確かに空港は巨大で乗降客数は多いものの、ダラスというのは観光地ではなく、スーツケースをゴロゴロ引っ張った日本人を見かけることもない。おまけに朝の5時台にここに着くためには、世界とか米国内のどこをどう出発すればいいのか。とにかく人のいない国際空港の朝であった。

ここでも自販機でお釣りが出ないので、DFW駅からダラスまでの1デイパスを、乗り放題というほど乗らないのに購入。コミューターは新しく可愛らしい乗り物で、沿線は、テキサスという、ガンマンが群雄割拠する埃っぽい未開拓の地をイメージする荒涼とした響きとは裏腹に、オランダの花畑すら想像させる緑豊かな瀟洒な住宅地を繋いでいた。

JFKを殺ッたダラス市街に向かうというので、これは相当に荒っぽいのではと身構えたが、早すぎるのか怪しい人はおろか、誰も乗ってこない。ここでも人々はクルマで、マイアミやLA以上に徹頭徹尾クルマで移動するのであって、コミューターなんぞに乗るのは移民ていどだと思っていると思われた。高校生だってばかデカいクルマの中古ぐらいは持っているのだろう。

1時間も乗っただろうか。車窓は次第に、オランダの花畑から小雨交じりの下町っぽい街並みに変化していく。沿線の景色は、倉庫とか閉じたビルとか、パッとしないのが多い。町外れにあるのが倉庫なら、オランダ花畑はさらにその向こうのベッドタウンというわけか。

都心に近くにつれ、色調は主として灰色でどんよりしてくる。そのどよんとした空の下、ウエスト・エンド駅に入線。エンドと付くが終着駅ではなく、都心からまたどこかへ下っていくコミューターであった。

街を行き交う通勤客はヒスパニック系が多そうなのは、ここがテキサスだからだろう。ここがダラスの真ん真ん中、関西弁で言うと真ん中なのだろうか。

駅、といってもコミューターはちんちん電車ほどの乗り物であり、バス停ていどの乗り場しかない、その駅から出て、徒歩で数分のケネディ暗殺現場に向かう。人通りといって、この時刻に観光をキメ込んでいるツーリストなどいない。僕とて、次便の待ち時間をツブしに来たに過ぎないのである。

1962年にキューバ危機があり、それやこれやで翌年にJFKが暗殺されたことを考えれば、マイアミの次にダラスに来たことは意外にも意味がある。1963年11月22日に、公式にはオズワルド容疑者が近隣の教科書ビルからライフルで狙撃したということになっている。これには、マフィアの女取った仕返し説からCIAに消された説、大統領に昇格したジョンソン自身の関与説まで無数の陰謀説が提起されている。オリバー・ストーン監督の「ＪＦＫ」の暗殺より前に死亡記事が出ていた説とか、結構まともな人物がトンデモ説をぶち上げている。公式の調査は１９６４年にオズワルド単独犯説を採用しているが、調査資料は75年後の２０３９年に公開されるという。言い換えれば75年後まで公開されない不可思議さが、憶測に憶測を呼んで20世紀最大とも言えるミステリーに仕上がっていったのである。

事件の54年後に初めて現場を訪れた日本人ツーリストによって、すべての真実が明らかになる、なんて爪の先ほども考えてはいないが、ダラスに立ち寄るとなったときから、見るべきは暗殺現場跡以外にない、と思っていた。

暗殺現場が聖地となっていず、ただのちょっとした丘の上に碑があるだけの踊り場的空間であったのには拍子抜けしたが、驚くべきことに教科書ビルはそのままの姿を晒していた。階上にはホ

記録映像などで見るのとまったく変わっていないJFK暗殺現場

ロコースト・ミュージアムというユダヤ系団体の博物館が入っていた。

丘の上から、車列が通過した道路を見下ろす。ドキュメンタリーや何かで、何度も目にした光景が蘇る。ジャクリーン夫人のピンクの服。車から一旦這い出ようとして戻ったように見えるのは、弾丸が当たって飛び散ったＪＦＫの脳みそを手で集めたのだったというような伝説だか珍説ばかりが思い浮かぶ。ブワーッという、強い空気で落葉を吹き飛ばして集める掃除夫が、暗殺現場で死者に思いを致している僕の横で、気にせずブワーッとやっている。

見通しが良く見下ろせる道路は、確かに狙いやすい。オズワルドでなくても教科書ビルから狙っただろう。しかも、オズワルドは侵入者なのではなく、教科書倉庫で雇われていたのである。濡れ衣ではという疑念は、やはり湧くなあ。

教科書ビルは、入れない。ホロコースト博物館を見学するつもりはないし、早朝すぎて入れもしなかった。米国史上最暗部と言われる暗殺事件が、こんなにもさり気なく扱われていて少々面食らうが、確かに幕末の桜田門外だって生麦だって、今どきは何らさりげない空間に違いない。逆に新撰組の油小路事件など、妙に事大主義に構えられる事件とか碑とかを見すぎているのかもしれないいな。

それに、近辺はあまりに寂れている。どこも開いてないので、ついにマクドナルドに入る。朝マックのセットが6・38ドル。チェーン店で700円超の朝食を食べてしまったことについては忸怩たる思いがあるが、マクドナルドと言えば米国の国民食と言えなくもあるまい。客は、どうしたものかと言いたくなるほど筋が悪い。ホームレスの人が一杯の珈琲だけを前にテーブルにずっ

教科書ビルもまだそのまま

といたり、独り言を繰り返すおばあさんがいたり。パンケーキはやれやれというほど、不味かった。

ダラス市街からＤＦＷ空港に戻る。戻るコミューターも乗客は少ない。もう少し混雑していても宜しいように思うが、せいぜいが空港に働きに行く人たちの通勤電車に過ぎないようだった。この路線はいわば、成田エクスプレスではないのかな。いや、違うのか。

東京行きのアメリカン航空の便はＪＡＬとのコードシェア便で、ついに日航機で帰国ということになる。大量解雇をやりきって現時点で争議が継続中の日本航空であるが、自分で選んだのはアメリカン航空である。致し方ない。

アメリカン航空のチケットを買ったのに機材はＪＡＬ。これを喜ぶ人もいるだろうが、そこまで日本スゲー論者ではない。おまけに、ＪＡＬのチケットの人たちはオーバー・ブッキングがあったらしく、できれば一便遅らせてくれないかというようなアナウンスが流れている。アメリカン航空だからかどうか、僕はそれを素通りできたようである。

オーバー・ブッキングというのは、座席数以上にチケットを販売してしまった結果、乗れない人が出てしまうことである。座席数以上に売るなんてあり得るのかと思うが、航空券業界では頻繁にあるらしかった。旅行代理店が大量に仕入れて売り始めても、そこまで売り尽くさないことが多いのに、今回はなぜか完売してしまった、というように。そんな代理店が複数あれば、簡単に売れ行きが座席数を超えるという、いわば遅れた市場が航空券市場と言えるのかもしれない。

このオーバー・ブッキングで乗れないという件に、僕はもう20年以上前に一度だけ遭遇しているが、今回は免れたようだ。今回のミッションが、7日間世界一周であることをお忘れなく。一本遅らせれば、8日間世界一周になってしまう。それでもいいかなと思うのは、席を譲ってくれた人には「お金をあげます」というアナウンスが始まったからである。

20年以上前のユナイテッド航空では、乗れなかったお詫びに「400ドルあげます」というのだった。それにサンフランシスコでのホテル一泊も付けて、もちろん夕食と朝食が付きます、さらに何と今なら日本への長距離電話2本が無料！　この条件を日本語で告げる日本人スタッフに、日本への帰国便に乗れない日本人観光客のうちの何人かは腹立ちまぎれの罵詈雑言を浴びせていたのだったが、その次に現れた金髪碧眼の米国人スタッフにサインを求められると、「イエス、あぁイエス」としかつぶやけないようだった。

そんな、思い出しても仕方ないことを思い出しながら、７日間世界一周と決めたからには７日間で終えるために、席を譲らず僕は帰国の途に着いた。

2017年3月30日

7日目

Japan
日本

この旅は何だったのか。

昼下がりの成田空港構内を、必要もないのに急ぎ足で歩きながら、ぼんやりと考えたのはこの問いであった。旅の終わりにいつも考えるのがこの問いであるのを、いつも避けられない。

考えたって、答えなど出しようがないのは分かっている。この旅が何だったかなどというのは、そのうち「この旅は何だったか」本でも書くときにいやでも考えるのであって、今は同じく入国カウンターを目指す人波に先んじて足早に歩くことで精一杯なのだから。

しかも今回は、寝坊してパニックに陥ったのが６日前なら、ビザ免除プログラムに登録してなくてパニックになったのも２日前。いくつものトラブルを一気に体験できるのが、五大陸弾丸旅行の醍醐味だったたっけと自分を皮肉りたくもなろうというものだ。

もう一度確認してみよう。

・五大陸を回ろう
・現地に半日滞在しよう
・現地食を食べよう
・観光しよう
・街を歩こう

だいたいこれらを経験しながら、７日間で帰ってこようというのが、今回の旅の作戦だった。

それは、できたのだろうか？

まあ、できたようでもあるし、曖昧な部分もあるな。モロッコ料理のアラビアパンなんて、食べたのはスペインでではなかったか。モロッコで食べたのはベトナム料理店の怪しい中華だったしな。しかも、深夜に着いて朝発つなんて、徹夜でもしなければ観光不能である。

「モロッコを除けば、結構いいセンいってると思って良いのかな」

「いや、そもそも寝坊で飛行機乗り遅れなんて、ありえない失策だろう。そのリカバリーの無理矢理さが、どうにもこうにも気が滅入るよ」

「しかし、じゃああの時点で旅を断念していたら、これは気が滅入るどころではなかったはずだ。いや行って良かったただろ」

と、まあこんな調子で何度、自問自答を繰り返しただろう。この旅が何だったのかというのは旅人にとって永遠の問いなのであって、この度の旅はちょっと極端すぎたと言っておこう。

世界半周はむろん世界一周ではない。そして四大陸弾丸旅行も五大陸弾丸旅行にはならない。そういう意味では、五大陸を７日間で巡ったというのは相当の達成感にほかならない。10日、あるいは２週間、いやそれ以上かけて世界一周することは、今の僕には不可能である。それほどは時間もかけられない者が、それでも世界一周してみたいと思ったあわいのところで、今回の旅は成立した。７日間以下となると、今度はもはや意味がなくなるのである。

帰国してからは、次はどのコースで世界一周するかに興味と関心が移っている。時間をかけて旅をするのが冗長とは言えないし、その方が情緒があると思う。だが、超コンパクトにギュッと凝縮した旅の体験もまた、何物にも代え難いように感じている。

さあ、今度はどの世界一周に行くのだろう。

7日《なのか》間《かん》世界《せかい》一周《いっしゅう》

2020年11月15日　第一刷発行

編著者　日本旅行文学会
発行所　田園都市出版社
〒247-0062 神奈川県鎌倉市山ノ内309-9
印刷所　シナノ書籍印刷株式会社

ブックデザイン　内堀明美
カバーイラスト　The grand Republican balloon, intended to convey the army of England from the Gallic shore, for the purpose of exchanging French liberty! for English happiness! / photo-litho'd and published by Eden Fisher Stationer, 50 Lombard Street, London, 1874. 米議会図書館蔵

ISBN978-4-909738-01-1
定価はカバーに表示してあります。
万一、落丁・乱丁の場合は小社宛にお送り下さい。お取替え致します。